興味の尽きることのない漢字学習

漢字文化圏の人々だけではなく、
世界中に日本語研究をしている人が数多くいます。
漢字かなまじり文は、独特の形を持ちながら
伝統ある日本文化を支え、
伝達と文化発展の基礎となってきました。
その根幹は漢字。
一字一字を調べていくと、
その奥深さに心打たれ、興味がわいてきます。
漢字は、生涯かけての
勉強の相手となるのではないでしょうか。

「漢検」級別 主な出題内容

10級 …対象漢字数 80字
漢字の読み／漢字の書取／筆順・画数

9級 …対象漢字数 240字
漢字の読み／漢字の書取／筆順・画数

8級 …対象漢字数 440字
漢字の読み／漢字の書取／部首・部首名／筆順・画数／送り仮名／対義語／同じ漢字の読み

7級 …対象漢字数 640字
漢字の読み／漢字の書取／部首・部首名／筆順・画数／送り仮名／対義語／同音異字／三字熟語

6級 …対象漢字数 825字
漢字の読み／漢字の書取／部首・部首名／筆順・画数／送り仮名／対義語・類義語／同音・同訓異字／三字熟語／熟語の構成

5級 …対象漢字数 1006字
漢字の読み／漢字の書取／部首・部首名／筆順・画数／送り仮名／対義語・類義語／同音・同訓異字／誤字訂正／四字熟語／熟語の構成

4級 …対象漢字数 1322字
漢字の読み／漢字の書取／部首・部首名／送り仮名／対義語・類義語／同音・同訓異字／誤字訂正／四字熟語／熟語の構成

3級 …対象漢字数 1607 字
漢字の読み／漢字の書取／部首・部首名／送り仮名／対義語・類義語／同音・同訓異字／誤字訂正／四字熟語／熟語の構成

準2級 …対象漢字数 1940 字
漢字の読み／漢字の書取／部首・部首名／送り仮名／対義語・類義語／同音・同訓異字／誤字訂正／四字熟語／熟語の構成

2級 …対象漢字数 2136 字
漢字の読み／漢字の書取／部首・部首名／送り仮名／対義語・類義語／同音・同訓異字／誤字訂正／四字熟語／熟語の構成

準1級 …対象漢字数 約3000字
漢字の読み／漢字の書取／故事・諺／対義語・類義語／同音・同訓異字／誤字訂正／四字熟語

1級 …対象漢字数 約6000字
漢字の読み／漢字の書取／故事・諺／対義語・類義語／同音・同訓異字／誤字訂正／四字熟語

※ここに示したのは出題分野の一例です。毎回すべての分野から出題されるとは限りません。また、このほかの分野から出題されることもあります。

日本漢字能力検定採点基準 最終改定：平成 25 年 4 月 1 日

1 採点の対象
筆画を正しく、明確に書かれた字を採点の対象とし、くずした字や、乱雑に書かれた字は採点の対象外とする。

2 字種・字体
①2～10級の解答は、内閣告示「常用漢字表」（平成二十二年）による。ただし、旧字体での解答は正答とは認めない。
②1級および準1級の解答は、『漢検要覧 1／準1級対応』（公益財団法人日本漢字能力検定協会発行）に示す「標準字体」「許容字体」「旧字体一覧表」による。

3 読み
①2～10級の解答は、内閣告示「常用漢字表」（平成二十二年）による。
②1級および準1級の解答には、①の規定は適用しない。

4 仮名遣い
仮名遣いは、内閣告示「現代仮名遣い」による。

5 送り仮名
送り仮名は、内閣告示「送り仮名の付け方」による。

6 部首
部首は、『漢検要覧 2～10級対応』（公益財団法人日本漢字能力検定協会発行）収録の「部首一覧表と部首別の常用漢字」による。

7 筆順
筆順の原則は、文部省編『筆順指導の手びき』（昭和三十三年）による。常用漢字一字一字の筆順は、『漢検要覧 2～10級対応』収録の「常用漢字の筆順一覧」による。

8 合格基準

級	満点	合格
1級／準1級／2級	二〇〇点	八〇％程度
準2級／3級／4級／5級／6級／7級	二〇〇点	七〇％程度
8級／9級／10級	一五〇点	八〇％程度

※部首、筆順は『漢検 漢字学習ステップ』など公益財団法人日本漢字能力検定協会発行図書でも参照できます。

日本漢字能力検定審査基準

10級

程度　小学校第1学年の学習漢字を理解し、文や文章の中で使える。

領域・内容

《読むことと書くこと》　小学校学年別漢字配当表の第1学年の学習漢字を読み、書くことができる。

《筆順》　点画の長短、接し方や交わり方、筆順および総画数を理解している。

9級

程度　小学校第2学年までの学習漢字を理解し、文や文章の中で使える。

領域・内容

《読むことと書くこと》　小学校学年別漢字配当表の第2学年までの学習漢字を読み、書くことができる。

《筆順》　点画の長短、接し方や交わり方、筆順および総画数を理解している。

8級

程度　小学校第3学年までの学習漢字を理解し、文や文章の中で使える。

領域・内容

《読むことと書くこと》　小学校学年別漢字配当表の第3学年までの学習漢字を読み、書くことができる。

- 音読みと訓読みとを理解していること
- 送り仮名に注意して正しく書けること（食べる、楽しい、後ろ　など）
- 対義語の大体を理解していること（勝つ—負ける、重い—軽い　など）
- 同音異字を理解していること（反対、体育、期待、太陽　など）

《筆順》　筆順、総画数を正しく理解している。

《部首》　主な部首を理解している。

7級

程度　小学校第4学年までの学習漢字を理解し、文章の中で正しく使える。

領域・内容

《読むことと書くこと》　小学校学年別漢字配当表の第4学年までの学習漢字を読み、書くことができる。

- 音読みと訓読みとを正しく理解していること
- 送り仮名に注意して正しく書けること（等しい、短い、流れる　など）
- 熟語の構成を知っていること
- 対義語の大体を理解していること（入学—卒業、得点—失点　など）
- 同音異字を理解していること（健康、高校、広告、外交　など）

《筆順》　筆順、総画数を正しく理解している。

《部首》　部首を理解している。

6級

程度 小学校第5学年までの学習漢字を理解し、文章の中で漢字が果たしている役割を知り、正しく使える。

領域・内容

《読むことと書くこと》 小学校学年別漢字配当表の第5学年までの学習漢字を読み、書くことができる。

- 音読みと訓読みとを正しく理解していること
- 送り仮名や仮名遣いに注意して正しく書けること（告げる、失う など）
- 熟語の構成を知っていること（上下、絵画、大木、読書、不明 など）
- 対義語、類義語の大体を理解していること（禁止―許可、平等―均等 など）
- 同音・同訓異字を正しく理解していること

《筆順》 筆順、総画数を正しく理解している。

《部首》 部首を理解している。

5級

程度 小学校第6学年までの学習漢字を理解し、文章の中で漢字が果たしている役割に対する知識を身に付け、漢字を文章の中で適切に使える。

領域・内容

《読むことと書くこと》 小学校学年別漢字配当表の第6学年までの学習漢字を読み、書くことができる。

- 音読みと訓読みとを正しく理解していること
- 送り仮名や仮名遣いに注意して正しく書けること
- 熟語の構成を知っていること
- 対義語、類義語を正しく理解していること
- 同音・同訓異字を正しく理解していること

《四字熟語》 四字熟語を正しく理解している（有名無実、郷土芸能 など）。

《筆順》 筆順、総画数を正しく理解している。

《部首》 部首を理解し、識別できる。

4級

程度 ※常用漢字のうち約1300字を理解し、文章の中で適切に使える。

領域・内容

《読むことと書くこと》 小学校学年別漢字配当表のすべての漢字と、その他の常用漢字約300字の読み書きを習得し、文章の中で適切に使える。

- 音読みと訓読みとを正しく理解していること
- 送り仮名や仮名遣いに注意して正しく書けること
- 熟語の構成を正しく理解していること
- 熟字訓、当て字を理解していること（小豆／あずき、土産／みやげ など）
- 対義語、類義語、同音・同訓異字を正しく理解していること

《四字熟語》 四字熟語を理解している。

《部首》 部首を識別し、漢字の構成と意味を理解している。

※ 常用漢字とは、平成22年11月30日付内閣告示による「常用漢字表」に示された2136字をいう。

3級

程度 ※常用漢字のうち約1600字を理解し、文章の中で適切に使える。

領域・内容

《読むことと書くこと》 小学校学年別漢字配当表のすべての漢字と、その他の常用漢字約600字の読み書きを習得し、文章の中で適切に使える。

- 音読みと訓読みとを正しく理解していること
- 送り仮名や仮名遣いに注意して正しく書けること
- 熟語の構成を正しく理解していること
- 熟字訓、当て字を理解していること（乙女／おとめ、風邪／かぜ など）
- 対義語、類義語、同音・同訓異字を正しく理解していること

《四字熟語》 四字熟語を理解している。

《部首》 部首を識別し、漢字の構成と意味を理解している。

※ 常用漢字とは、平成22年11月30日付内閣告示による「常用漢字表」に示された2136字をいう。

準２級

程度　常用漢字[※1]のうち１９４０字[※2]を理解し、文章の中で適切に使える。

領域・内容

《読むことと書くこと》　１９４０字の漢字の読み書きを習得し、文章の中で適切に使える。

- 音読みと訓読みとを正しく理解していること
- 送り仮名や仮名遣いに注意して正しく書けること
- 熟語の構成を正しく理解していること
- 熟字訓、当て字を理解していること（硫黄／いおう、相撲／すもう　など）
- 対義語、類義語、同音・同訓異字を正しく理解していること

《四字熟語》　典拠のある四字熟語を理解している（驚天動地、孤立無援　など）。

《部首》　部首を識別し、漢字の構成と意味を理解している。

※1　常用漢字とは、平成22年11月30日付内閣告示による「常用漢字表」に示された２１３６字をいう。
※2　１９４０字とは、昭和56年10月1日付内閣告示による旧「常用漢字表」の１９４５字から「勺」「錘」「銑」「脹」「匁」の5字を除いたものを指す。

２級

程度　すべての常用漢字[※]を理解し、文章の中で適切に使える。

領域・内容

《読むことと書くこと》　すべての常用漢字の読み書きに習熟し、文章の中で適切に使える。

- 音読みと訓読みとを正しく理解していること
- 送り仮名や仮名遣いに注意して正しく書けること
- 熟語の構成を正しく理解していること
- 熟字訓、当て字を理解していること（海女／あま、玄人／くろうと　など）
- 対義語、類義語、同音・同訓異字などを正しく理解していること

《四字熟語》　典拠のある四字熟語を理解している（鶏口牛後、呉越同舟　など）。

《部首》　部首を識別し、漢字の構成と意味を理解している。

※　常用漢字とは、平成22年11月30日付内閣告示による「常用漢字表」に示された２１３６字をいう。

準１級

程度　常用漢字を含めて、約３０００字の漢字の音・訓を理解し、文章の中で適切に使える。

領域・内容

《読むことと書くこと》　常用漢字の音・訓を含めて、約３０００字の漢字の読み書きに慣れ、文章の中で適切に使える。

- 熟字訓、当て字を理解していること
- 対義語、類義語、同音・同訓異字などを理解していること
- 国字を理解していること（峠、凧、畠　など）
- 複数の漢字表記について理解していること（國―国、交叉―交差　など）

《四字熟語・故事・諺》　典拠のある四字熟語、故事成語・諺を正しく理解している。

《古典的文章》　古典的文章の中での漢字・漢語を理解している。

※　約３０００字の漢字は、ＪＩＳ第一水準を目安とする。

１級

程度　常用漢字を含めて、約６０００字の漢字の音・訓を理解し、文章の中で適切に使える。

領域・内容

《読むことと書くこと》　常用漢字の音・訓を含めて、約６０００字の漢字の読み書きに慣れ、文章の中で適切に使える。

- 熟字訓、当て字を理解していること
- 対義語、類義語、同音・同訓異字などを理解していること
- 国字を理解していること（怺える、毟る　など）
- 地名・国名などの漢字表記（当て字の一種）を知っていること
- 複数の漢字表記について理解していること（鹽―塩、颱風―台風　など）

《四字熟語・故事・諺》　典拠のある四字熟語、故事成語・諺を正しく理解している。

《古典的文章》　古典的文章の中での漢字・漢語を理解している。

※　約６０００字の漢字は、ＪＩＳ第一・第二水準を目安とする。

個人受検の申し込みについて　申し込みから合否の通知まで

1 受検級を決める

受検資格　制限はありません

実施級　1、準1、2、準2、3、4、5、6、7、8、9、10級

検定会場　全国主要都市約180か所に設置
（実施地区は検定の回ごとに決定）

2 検定に申し込む

●インターネットで申し込む

ホームページ http://www.kanken.or.jp/ から申し込む
（クレジットカード決済、コンビニ決済等が可能です）。

下記バーコードから日本漢字能力検定協会ホームページへ簡単にアクセスできます。

●コンビニエンスストアで申し込む

・ローソン「Loppi」
・セブン-イレブン「マルチコピー」
・ファミリーマート「Famiポート」
・サークルKサンクス「Kステーション」
・ミニストップ「MINISTOP Loppi」

検定料は各店舗のカウンターで支払う。

●取扱書店（大学生協含む）を利用する

取扱書店（大学生協含む）で検定料を支払い、願書と書店払込証書を郵送する。

●取扱新聞社などへ申し込む

願書、検定料（現金）を直接持参、または現金書留で送付する。

注意

①家族・友人と同じ会場での受検を希望する方は、願書を利用する申込方法をお選びいただき、1つの封筒に同封して送付してください。同封されない場合には、受検会場が異なることがあります（インターネット、コンビニエンスストアでの申し込みの場合は同一会場の指定はできませんのでご了承ください）。

②車いすで受検される方や、体の不自由な方はお申し込みの際に協会までご相談ください。

③申し込み後の変更・取り消し・返金はできません。また、次回への延期もできませんのでご注意ください。

3 受検票が届く

受検票は検定日の約1週間前に到着するよう協会より郵送します。

※検定日の4日前になっても届かない場合は協会へお問い合わせください。

お問い合わせ窓口

電話番号　フリーコール　**0120-509-315**（無料）
（海外からはご使用になれません。ホームページよりメールでお問い合わせください。）

お問い合わせ時間　月～金　9時00分～17時00分
（祝日・年末年始を除く）
※検定日とその前日の土、日は開設
※検定日と申込締切日は9時00分～18時00分

4 検定日当日

検定時間

2級：10時00分～11時00分（60分間）
準2級：11時50分～12時50分（60分間）
8・9・10級：11時50分～12時30分（40分間）
1・3・5・7級：13時40分～14時40分（60分間）
準1・4・6級：15時30分～16時30分（60分間）

持ち物

受検票、鉛筆（HB、B、2B、シャープペンシルも可）、消しゴム
※ボールペン、万年筆などの使用は認められません。ルーペ持ち込み可。

注意

①会場への車での来場（送迎を含む）は、周辺の迷惑になりますのでご遠慮ください。
②検定開始15分前までに入場してください。答案用紙の記入方法などを説明します。
③携帯電話やゲーム、電子辞書などは、電源を切り、かばんにしまってから入場してください。
④検定中は受検票を机の上に置いてください。
⑤答案用紙には、あらかじめ名前や受検番号などが印字されています。
⑥お申し込みされた皆様に、後日、検定問題と標準解答をお送りします。

5 合否の通知

検定日の約40日後に、受検者全員に「検定結果通知」を郵送します。合格者には「合格証書」・「合格証明書」を同封します。**受検票は検定結果が届くまで大切に保管**してください。

注目

進学・就職に有利！
合格者全員に合格証明書発行

大学・短大の推薦入試の提出書類に、また就職の際の履歴書に添付してあなたの漢字能力をアピールしてください。合格者全員に、合格証書と共に合格証明書を2枚、無料でお届けいたします。

合格証明書が追加で必要な場合は

次の❶～❹を同封して、協会までお送りください。約1週間後、お手元にお届けします。

❶氏名・住所・電話番号・生年月日、および受検年月日・受検級・認証番号（合格証書の左上部に記載）を明記したもの
❷本人確認資料（在学証明書、運転免許証、住民票などのコピー）
❸住所・氏名を表に明記し切手を貼《は》った返信用封筒
❹証明書1枚につき発行手数料５００円

団体受検の申し込み

学校や企業などで志願者が一定以上まとまると、団体申込ができ、自分の学校や企業内で受検できる制度もあります。団体申込を扱っているかどうかは先生や人事関係の担当者に確認してください。

「漢検」受検の際の注意点

【字の書き方】

問題の答えは楷書で大きくはっきり書きなさい。乱雑な字や続け字、また、行書体や草書体のようにくずした字は採点の対象とはしません。

特に漢字の書き取り問題では、答えの文字は教科書体をもとにして、はねるところ、とめるところなどもはっきり書きましょう。また、画数に注意して、一画一画を正しく、明確に書きなさい。

《例》

○熱　×熱

○言　×言

○糸　×糸

【字種・字体について】

(1)日本漢字能力検定2～10級においては、「常用漢字表」に示された字種で書きなさい。つまり、表外漢字（常用漢字表にない漢字）を用いると、正答とは認められません。

《例》

○交差点　×交叉点　（「叉」が表外漢字）

○寂しい　×淋しい　（「淋」が表外漢字）

(2)日本漢字能力検定2～10級においては、「常用漢字表」に示された字体で書きなさい。なお、「常用漢字表」に参考として示されている康熙《こうき》字典体など、旧字体と呼ばれているものを用いると、正答とは認められません。

《例》

○真　×眞

○飲　×飮

○弱　×弱

○渉　×涉

○迫　×迫

(3)一部例外として、平成22年告示「常用漢字表」で追加された字種で、許容字体として認められているものや、その筆写文字と印刷文字との差が習慣の相違に基づくとみなせるものは正答と認めます。

《例》

餌 → 餌　と書いても可

遜 → 遜　と書いても可

葛 → 葛　と書いても可

溺 → 溺　と書いても可

箸 → 箸　と書いても可

注意

(3)において、どの漢字が当てはまるかなど、一字一字については、当協会発行図書（2級対応のもの）掲載の漢字表で確認してください。

漢検

公益財団法人 日本漢字能力検定協会

改訂三版

漢検 漢字学習 ステップ

4級

漢検 公益財団法人 日本漢字能力検定協会

もくじ

本書の使い方

「日本漢字能力検定（漢検）4級」では、中学校で学習する漢字一一三〇字のうち、三一六字を中心として、読み・書き、使い方などが出題の対象となります。本書では、その三一六字を、**漢字表・練習問題**からなる39ステップに分けて、広く学習していきます。

また、数ステップごとに設けた**力だめし**では、復習と確認が行えます。巻末の**総まとめ**は審査《しんさ》基準に則した出題形式となっており、模擬《もぎ》試験としてご利用いただけます。

＊漢字表・練習問題などのそれぞれの使い方は次のページをご参照ください。

さらに付録として、「級別漢字表」や「常用漢字表　付表」などの資料を掲載《けいさい》しました。

「漢検」の主な出題内容は「日本漢字能力検定審査基準」「日本漢字能力検定採点基準」（いずれも本書巻頭カラーページに掲載）等で確認してください。

一 漢字表

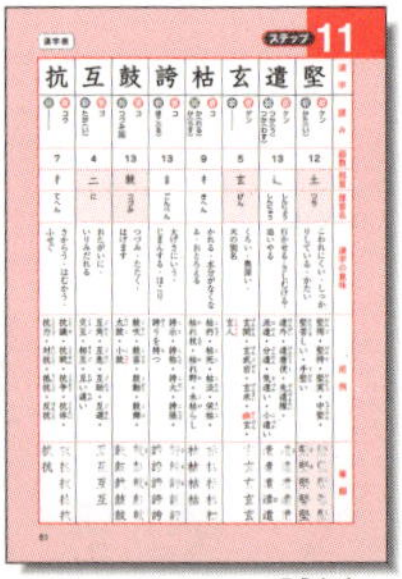

覚えておきたい項目《こうもく》をチェック

二 練習問題

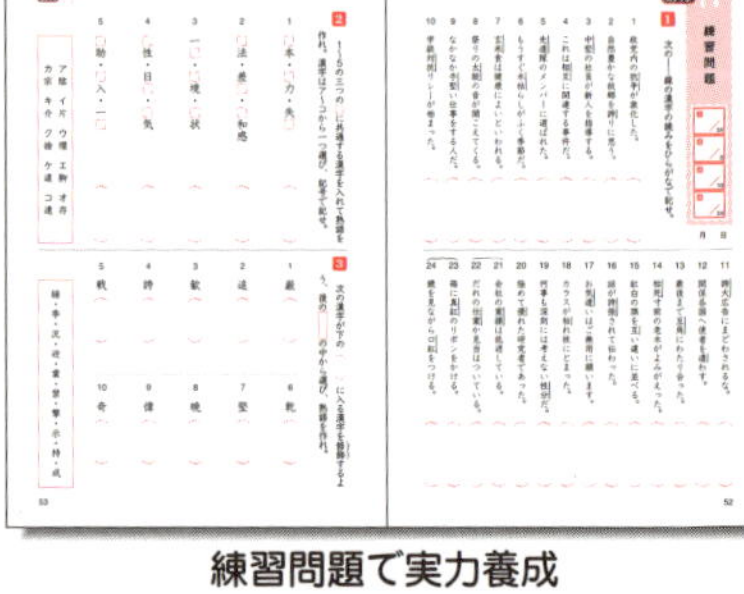

練習問題で実力養成

ステップ１回分
（漢字表＋練習問題）

ステップごとにしっかり学習

三 力だめし

5～6ステップごとに

成果を確認

四 総まとめ

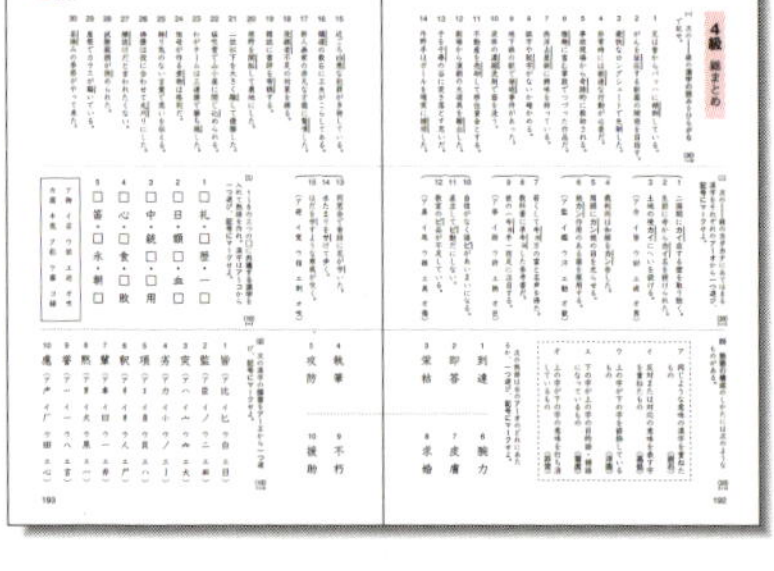

一 漢字表

各ステップで学習する漢字の数は8〜9字です。

漢字表には、それぞれの漢字について覚えておきたい項目《こうもく》が整理されています。漢字表の内容を確認してから、練習問題に進んでください。

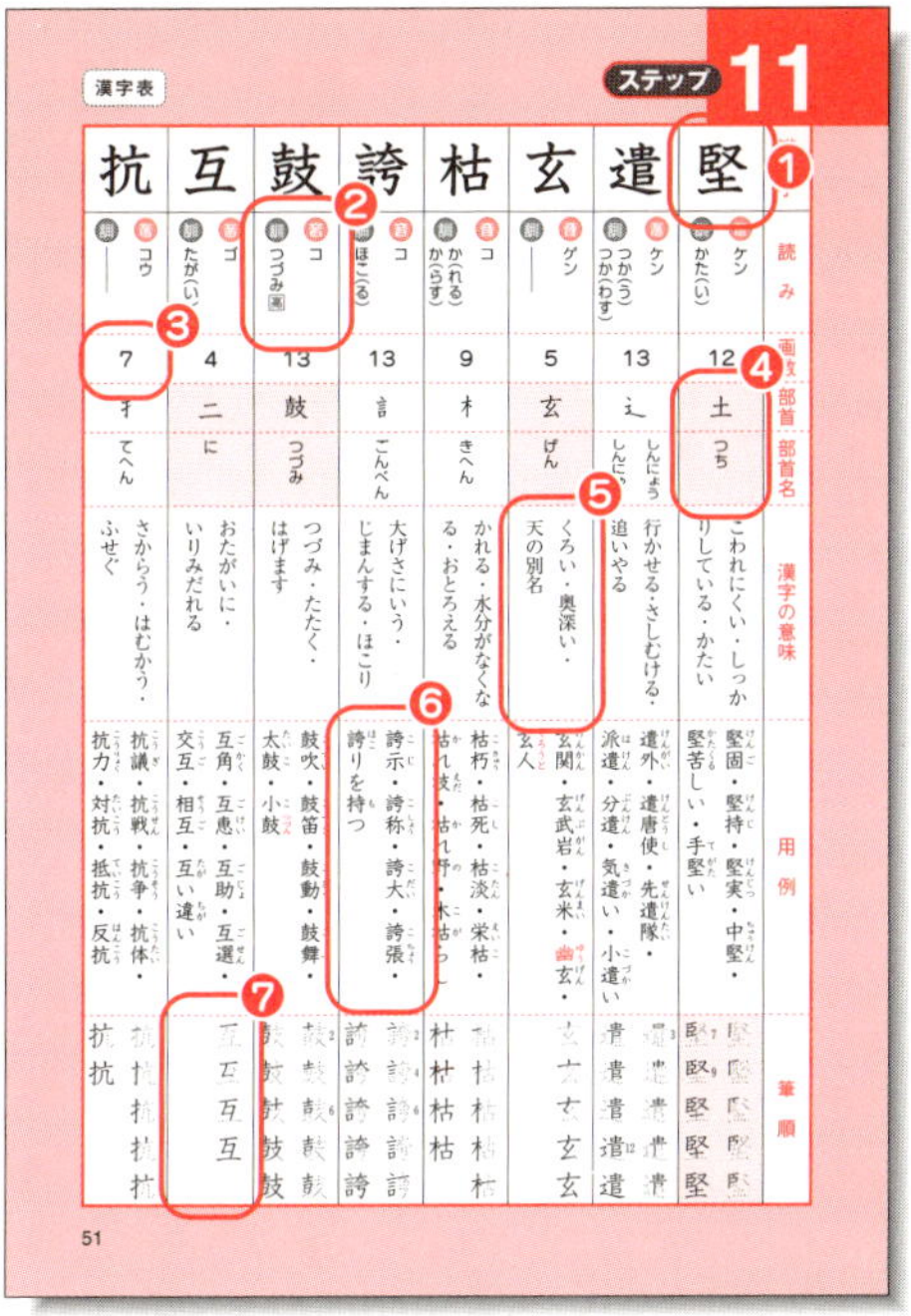

漢字	読み	画数	部首	部首名	漢字の意味	用例
堅	音 ケン 訓 かた(い)	12	土	つち	こわれにくい・しっかりしている・かたい	堅固《けんご》・堅持《けんじ》・堅実《けんじつ》・中堅《ちゅうけん》・堅苦《かたくる》しい・手堅《てがた》い
遣	音 ケン 訓 つか(う) つか(わす)	13	辶	しんにょう しんにゅう	行かせる・さしむける・追いやる	遣外《けんがい》・遣唐使《けんとうし》・先遣隊《せんけんたい》・派遣《はけん》・分遣《ぶんけん》・気遣《きづか》い・小遣《こづか》い
玄	音 ゲン 訓 —	5	玄	げん	くろい・奥深い・天の別名	玄関《げんかん》・玄武岩《げんぶがん》・玄米《げんまい》・幽玄《ゆうげん》・玄人《くろうと》
枯	音 コ 訓 か(れる) か(らす)	9	木	きへん	かれる・水分がなくなる・おとろえる	枯朽《こきゅう》・枯死《こし》・枯淡《こたん》・栄枯《えいこ》・枯《か》れ枝《えだ》・枯《か》れ野《の》・木枯《こが》らし
誇	音 コ 訓 ほこ(る)	13	言	ごんべん	大げさにいう・じまんする・ほこり	誇示《こじ》・誇称《こしょう》・誇大《こだい》・誇張《こちょう》・誇《ほこ》りを持《も》つ
鼓	音 コ 訓 つづみ 高	13	鼓	つづみ	つづみ・たたく・はげます	鼓吹・鼓笛・鼓動・鼓舞・太鼓《たいこ》・小鼓《こつづみ》
互	音 ゴ 訓 たが(い)	4	二	に	おたがいに・いりみだれる	互角《ごかく》・互恵《ごけい》・互助《ごじょ》・互選《ごせん》・交互《こうご》・相互《そうご》・互《たが》い違《ちが》い
抗	音 コウ 訓 —	7	扌	てへん	さからう・はむかう・ふせぐ	抗議《こうぎ》・抗戦《こうせん》・抗争《こうそう》・抗体《こうたい》・抗力《こうりょく》・対抗《たいこう》・抵抗《ていこう》・反抗《はんこう》

❶ 学習漢字
ここで学習する漢字を教科書体で記してあります。この字形を参考にして略さずていねいに書くよう心がけましょう。

❷ 読み
音読みはカタカナで、訓読みはひらがなで記載《きさい》してあります。高 は高校で学習する読みで、準2級以上で出題対象になります。

❸ 画数
総画数を示してあります。

❹ 部首・部首名
「漢検」で採用している部首・部首名です。注意したいものには、色をつけてあります（筆順も同様）。

❺ 意味
学習漢字の基本的な意味です。漢字の意味を把握《はあく》することは、用例の意味や同音・同訓異字の学習、熟語の構成を学ぶうえで重要です。

❻ 用例
学習漢字を用いた熟語を中心に用例を挙げました。3級以上の漢字や高校で学習する読みは赤字で示してあります。

❼ 筆順
筆順は10の場面を示しています。途中《とちゅう》を省略した場合はその場面の横に現在何画目なのかを表示しました。

二 練習問題

各ステップの問題は、読み・書き取り問題を中心にさまざまな問題で構成されています。得点記入欄《らん》に記録して繰《く》り返し学習してください。

1 **読み問題**……各ステップの学習漢字を中心に、音読み・訓読み・特別な読み（熟字訓・当て字）を適宜《てきぎ》配分してあります。

4 **書き取り問題**…同音・同訓異字を含《ふく》め、用例を幅広く扱っています。

その他、さまざまな角度から学習できるようになっています。

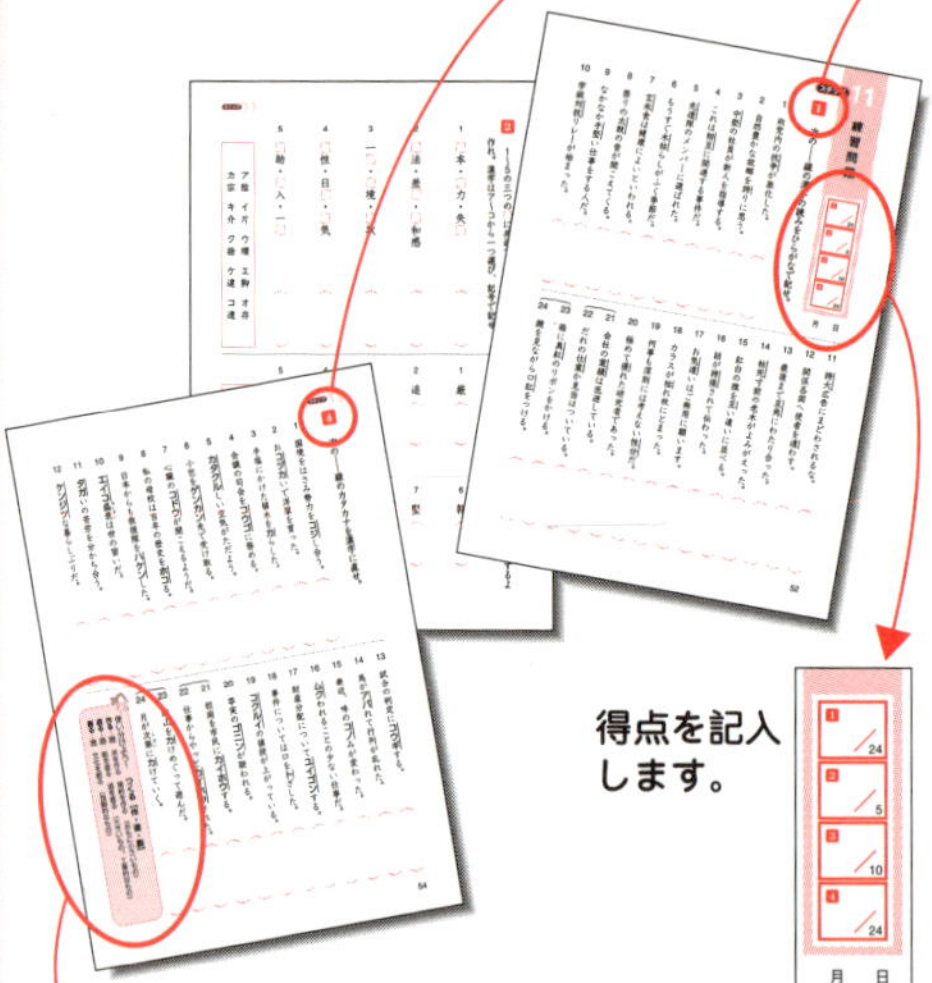

得点を記入します。

コラム

漢字の使い分け、四字熟語の意味など、漢字全般《ぜんぱん》のことがらを平易に記してあります。

三 力だめし

5～6ステップごとに設けてあります。

一〇〇点満点で、自己評価ができますので、小テストとして取り組んでください。

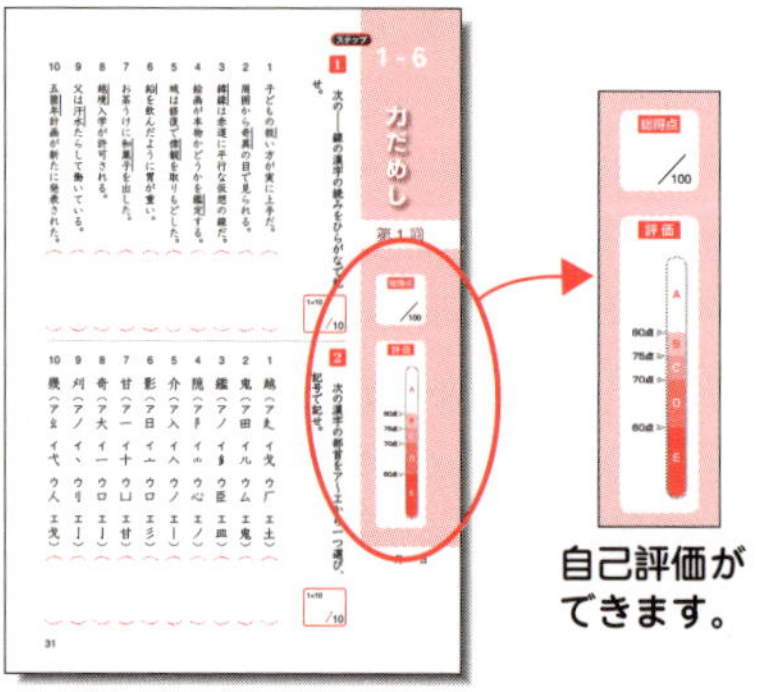

自己評価ができます。

四 総まとめ

学習がひととおり終わったら、実力の確認にお使いください。

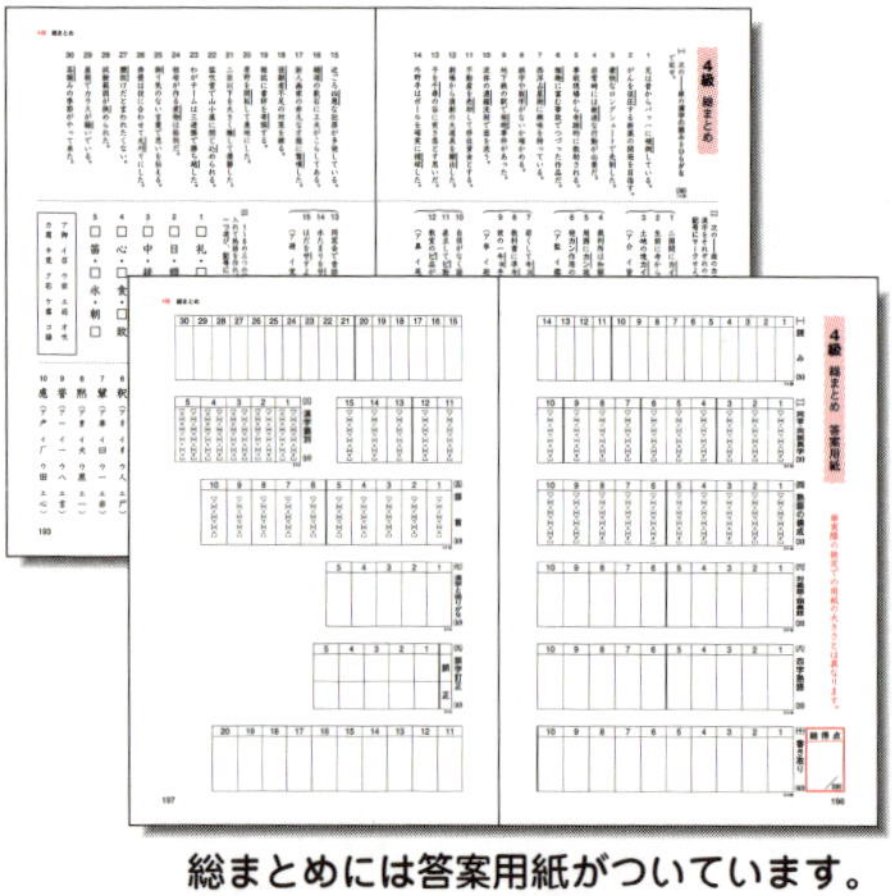

総まとめには答案用紙がついています。

漢字	読み	画数	部首	部首名	漢字の意味	用例
握	音 アク 訓 にぎ(る)	12	扌	てへん	つかむ・自分のものとする	握手《あくしゅ》・握力《あくりょく》・一握《いちあく》・掌握《しょうあく》・握《にぎ》り飯《めし》・一握《ひとにぎ》り
扱	音 ― 訓 あつか(う)	6	扌	てへん	あつかう・とりはからう・もてなす	扱《あつか》い方《かた》・扱《あつか》い人《にん》・扱《あつか》い品目《ひんもく》・客扱《きゃくあつか》い・特別扱《とくべつあつか》い・取《と》り扱《あつか》い
依	音 イ、エ 高 訓 ―	8	亻	にんべん	たよる・もとのまま・よりどころにする	依願《いがん》・依拠《いきょ》・依然《いぜん》・依存《いそん》《いぞん》・依頼《いらい》・帰依《きえ》
威	音 イ 訓 ―	9	女	おんな	おそれる・おどす・勢いのさかんなこと	威圧《いあつ》・威儀《いぎ》・威厳《いげん》・威勢《いせい》・威力《いりょく》・権威《けんい》・猛威《もうい》・威張《いば》る
為	音 イ 訓 ―	9	灬	れんが れっか	何かをおこなう・手を加える・役に立つ	為政《いせい》・有《う》為《い》転変《てんぺん》《ういてんべん》・行為《こうい》・作為《さくい》・人為《じんい》・無為《むい》・為替《かわせ》
偉	音 イ 訓 えら(い)	12	亻	にんべん	すぐれている・りっぱである・さかんである	偉観《いかん》・偉業《いぎょう》・偉人《いじん》・偉大《いだい》・偉容《いよう》・偉力《いりょく》
違	音 イ 訓 ちが(う) ちが(える)	13	辶	しんにょう しんにゅう	一致《いっち》しない・そむく・したがわない	違憲《いけん》・違反《いはん》・違法《いほう》・違約《いやく》・違和感《いわかん》・差違《さい》・相違《そうい》・間違《まちが》い
維	音 イ 訓 ―	14	糸	いとへん	もちつづける・糸・意味を強めることば	維持《いじ》・維新《いしん》・繊維《せんい》

筆順

ステップ 1

練習問題

1	/24
2	/10
3	/10
4	/24

月　日

1 次の——線の漢字の読みをひらがなで記せ。

1 あの教授は徳を備えた偉い人だ。

2 明治維新の歴史に学ぶ。

3 事件は依然として未解決だ。

4 兄は偉人伝を読むのが好きだ。

5 同じ間違いは二度としたくない。

6 明らかに作為のあとが見える。

7 手に汗《あせ》を握るような場面だ。

8 交通法規の違反は許されない。

9 左手と右手の握力に差があった。

10 高層ビル群が偉容を誇《ほこ》っている。

11 向かいの店では衣料品も扱う。

12 威厳のある態度を保つ。

13 水の流れを人為的に操作する。

14 馬は威勢よく坂をかけ上がった。

15 世の為政者は高潔であるべきだ。

16 刻苦して偉業をなしとげた。

17 コーチのサインを取り違えた。

18 すまなかったと素直に謝る。

19 さなぎが羽化するさまを見守る。

20 この計画はまだ公にできない。

21 「一握の砂」を図書館で借りた。

22 大きな握り飯をほおばる。

23 両者には意見の相違がある。

24 その人を責めるのは筋違いだ。

2 次の漢字の部首と部首名を（　）に記せ。部首名が二つ以上あるものは、そのいずれか一つを記せばよい。

	漢字	部首	部首名
1	維	（　）	（　）
2	偉	（　）	（　）
3	握	（　）	（　）
4	依	（　）	（　）
5	違	（　）	（　）
6	扱	（　）	（　）
7	蒸	（　）	（　）
8	為	（　）	（　）
9	域	（　）	（　）
10	威	（　）	（　）

3 次のAとBの漢字を一字ずつ組み合わせて二字の熟語を作れ。Bの漢字は必ず一度だけ使う。また、AとBどちらの漢字が上でもよい。

A

1 行　2 規　3 威　4 維　5 憲　6 依　7 興　8 明　9 源　10 述

B

朗　持　奮　資　著　模　違　為　願　力

1（　）　2（　）　3（　）　4（　）　5（　）

6（　）　7（　）　8（　）　9（　）　10（　）

4 次の——線のカタカナを漢字に直せ。

1 部下の前でむやみに**イバ**る。

2 不正**コウイ**が発覚した。

3 運動して健康**イジ**に努める。

4 **ミチガ**えるほど立派になった。

5 二人はにこやかに**アクシュ**した。

6 この墓は**イダイ**な国王のものだ。

7 思わず**ニギ**りこぶしをつくった。

8 **イホウ**建築を取りしまる。

9 客の**アツカ**いに慣れている。

10 父は**エラ**ぶった態度は見せない。

11 いつまでも親に**イソン**するな。

12 想像していたものとは**チガ**った。

13 実験結果は予想と**コト**なった。

14 海外に新しく支店を**モウ**ける。

15 アメリカへの**イジュウ**を考える。

16 実家は書店を**イトナ**んでいる。

17 **ハナゾノ**ではバラが満開だ。

18 七月のことを**フミヅキ**ともいう。

19 ここは降雨量の多い**チイキ**だ。

20 ポンプで空気を**アッシュク**する。

21 生活調査の質問に**カイトウ**する。

22 試験の**カイトウ**用紙を配る。

23 大きな鏡に全身を**ウツ**す。

24 問題をノートに書き**ウツ**す。

とめ・はねにご用心

書き取り問題では「とめ・はね」に気をつけ、楷書《かいしょ》ではっきりとていねいに書いてください。くずした字や乱雑な字は採点の対象となりません。字形や筆順を正しく覚えることが大切です。

漢字	読み	画数	部首	部首名	漢字の意味	用例
緯	音 イ / 訓 ――	16	糸	いとへん	織物の横糸・東西の方向	緯線《いせん》・緯度《いど》・経緯《けいい》・南緯《なんい》・北緯《ほくい》
壱	音 イチ / 訓 ――	7	士	さむらい	「一」にかわる字	壱万円《いちまんえん》
芋	音 ―― / 訓 いも	6	艹	くさかんむり	いも	芋版《いもばん》・芋掘《いもほ》り・親芋《おやいも》・里芋《さといも》・焼《や》き芋《いも》
陰	音 イン / 訓 かげ かげ(る)	11	阝	こざとへん	日かげ・くらい・ひそかに・時間	陰影《いんえい》・陰気《いんき》・陰性《いんせい》・陰陽《いんよう》・光陰《こういん》・陰干《かげぼ》し・木陰《こかげ》・日陰《ひかげ》
隠	音 イン / 訓 かく(す) かく(れる)	14	阝	こざとへん	表面に出ない・退く・見えないようにする	隠居《いんきょ》・隠語《いんご》・隠然《いんぜん》・隠忍《いんにん》・隠《かく》し味《あじ》・雲隠《くもがく》れ
影	音 エイ / 訓 かげ	15	彡	さんづくり	光がさえぎられた部分・すがた・かげぼうし	影響《えいきょう》・影像《えいぞう》・陰影《いんえい》・撮影《さつえい》・投影《とうえい》・影絵《かげえ》・影法師《かげぼうし》・人影《ひとかげ》
鋭	音 エイ / 訓 するど(い)	15	金	かねへん	するどい・勢いがよい・すばやい	鋭意《えいい》・鋭角《えいかく》・鋭敏《えいびん》・鋭利《えいり》・気鋭《きえい》・新鋭《しんえい》・精鋭《せいえい》・先鋭《せんえい》
越	音 エツ / 訓 こ(す) こ(える)	12	走	そうにょう	こえる・こす・度をこす・まさる	越境《えっきょう》・越権《えっけん》・越冬《えっとう》・超越《ちょうえつ》・優越《ゆうえつ》・勝《か》ち越《こ》し・年越《としこ》し
援	音 エン / 訓 ――	12	扌	てへん	たすける・ひきとる・ひきあげる	援軍《えんぐん》・援護《えんご》・援助《えんじょ》・応援《おうえん》・救援《きゅうえん》・後援《こうえん》・支援《しえん》・声援《せいえん》

筆順

ステップ 2

練習問題

1	/24
2	/10
3	/16
4	/24

月　日

1 次の——線の漢字の読みをひらがなで記せ。

1 母校の選手に熱い声援を送る。（　　）
2 幼いころに影絵をして遊んだ。（　　）
3 赤道より北側を北緯で表す。（　　）
4 初めて徒歩で国境を越えた。（　　）
5 心なしか表情に陰りが見られる。（　　）
6 野鳥保護運動を支援している。（　　）
7 領収証に金壱万円也《なり》と書く。（　　）
8 複雑な心情を投影した作品だ。（　　）
9 弟が後ろ手に何かを隠している。（　　）
10 教会の屋根が鋭角をなしている。（　　）

11 陰気なムードが一変した。（　　）
12 他社より技術面で優越している。（　　）
13 父は退職して隠居の身になった。（　　）
14 会場からは鋭い質問が続出した。（　　）
15 にわか雨を木陰でやり過ごした。（　　）
16 正月用の里芋を大量に出荷する。（　　）
17 軽くて暖かい羽毛ぶとんだ。（　　）
18 知らせを聞いて有頂天になった。（　　）
19 それは明らかに越権行為だ。（　　）
20 寒さもやっと峠《とうげ》を越したようだ。（　　）
21 毎朝欠かさず仏の影像を拝む。（　　）
22 障子に影法師が映っている。（　　）
23 業界に隠然たる力を持つ大物だ。（　　）
24 夜半を過ぎて月が雲に隠れた。（　　）

2 次の漢字と反対または対応する意味を表す漢字を、後の[　]の中から選んで（　）に入れ、熟語を作れ。

1 寒（　）
2 授（　）
3 （　）陽
4 増（　）
5 経（　）
6 （　）横
7 （　）同
8 （　）静
9 苦（　）
10 （　）果

異・緯・因・陰・楽・減・受・縦・暖・動

3 次の（　）にそれぞれ異なる「イ」と音読みする適切な漢字を書き入れて熟語を作れ。

1 （　）然
2 推（　）
3 （　）向
4 容（　）
5 （　）産
6 （　）約
7 （　）議
8 （　）政
9 （　）新
10 南（　）
11 （　）降
12 胸（　）
13 （　）院
14 （　）圧
15 白（　）
16 （　）任

4

次の——線のカタカナを漢字に直せ。

1 目標の実現に**エイイ**努力する。

2 園内は**イモ**を洗うような混雑だ。

3 **ヒトカゲ**が絶えた夜の道を歩く。

4 再建資金を**エンジョ**する。

5 **インエイ**に富んだ音色が響《ひび》く。

6 馬の群れが草原を**コ**えていった。

7 証書には一でなく**イチ**の字を使う。

8 調査隊が南極で**エットウ**する。

9 洗ったセーターを**カゲボ**しする。

10 打球に**スルド**く反応した。

11 **コウイン**矢のごとしという。

12 **カク**されていた事実が判明した。

13 **イド**の高い極寒の地である。

14 **イチョウ**の調子がすぐれない。

15 机の位置を窓ぎわに**ウツ**した。

16 会議の記録を**インサツ**して配る。

17 **イタ**る所にポスターを張る。

18 相手を**ウヤマ**う心を大切にする。

19 **エイリ**な小刀で細工をほどこす。

20 結局は**エイリ**目的の事業だ。

21 決勝レースのタイムを**ハカ**る。

22 プールの水深を**ハカ**る。

23 コーヒー豆の重さを**ハカ**る。

24 作業の効率化を**ハカ**るべきだ。

使い分けよう! **かげ【陰・影】**

陰…例 建物の陰になる　ドアの陰に隠れる　陰で支える
（光の当たらない部分・人目につかない所）

影…例 障子に映る影　影も形もない　湖面に月影がゆらぐ
（物の形・日月などの光・光をさえぎってできる黒い部分）

漢字	読み	画数	部首	部首名	漢字の意味	用例
煙	音 エン 訓 けむ(る) けむり けむ(い)	13	火	ひへん	けむり・すす・かすみ・たばこ	煙雨《えんう》・煙害《えんがい》・煙突《えんとつ》・煙幕《えんまく》・煙霧《えんむ》・禁煙《きんえん》・黒煙《こくえん》・噴煙《ふんえん》
鉛	音 エン 訓 なまり	13	金	かねへん	なまり・金属の一つ	鉛管《えんかん》・鉛直《えんちょく》・鉛筆《えんぴつ》・亜鉛《あえん》・黒鉛《こくえん》・鉛色《なまりいろ》
縁	音 エン 訓 ふち	15	糸	いとへん	へり・つながり・めぐりあわせ	縁側《えんがわ》・縁起《えんぎ》・縁故《えんこ》・縁談《えんだん》・機縁《きえん》・血縁《けつえん》・額縁《がくぶち》・因縁《いんねん》
汚	音 オ 訓 けが(す) 高 けが(れる) 高 けが(らわしい) 高 よご(す)・よご(れる)・きたな(い)	6	氵	さんずい	よごす・きたない・そこなう	汚職《おしょく》・汚水《おすい》・汚濁《おだく》・汚点《おてん》・汚物《おぶつ》・汚名《おめい》・汚《よご》れ物《もの》
押	音 オウ 高 訓 お(す) お(さえる)	8	扌	てへん	おす・おさえる・印をおす・韻《いん》をそろえる	押印《おういん》・押収《おうしゅう》・押《お》し花《ばな》・後押《あとお》し・目白押《めじろお》し
奥	音 オウ 高 訓 おく	12	大	だい	内へ深く入ったところ・深くてむずかしいこと	奥義《おうぎ》《おくぎ》・深奥《しんおう》・奥社《おくしゃ》・奥底《おくそこ》《おうてい》・奥地《おくち》《おうち》・奥歯《おくば》・大奥《おおおく》・山奥《やまおく》
憶	音 オク 訓 —	16	忄	りっしんべん	おぼえる・おもう・おしはかる	憶説《おくせつ》・憶測《おくそく》・記憶《きおく》・追憶《ついおく》
菓	音 カ 訓 —	11	艹	くさかんむり	おかし・木の実・果実	菓子《かし》・製菓《せいか》・茶菓子《ちゃがし》・乳菓《にゅうか》・冷菓《れいか》・和菓子《わがし》・綿菓子《わたがし》

筆順

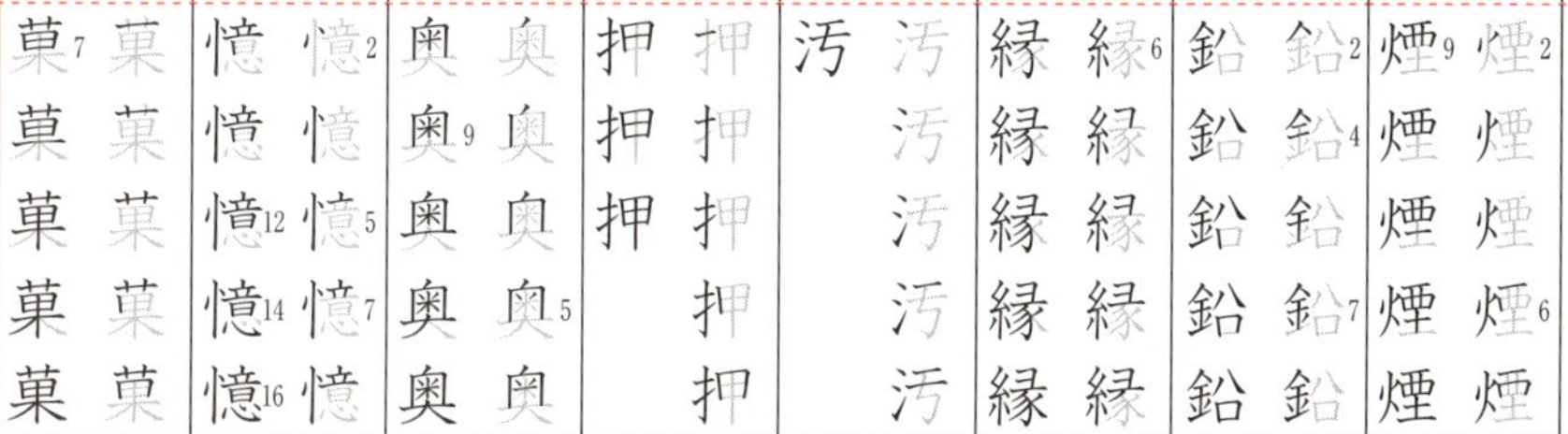

ステップ 3

練習問題

1	/24
2	/10
3	/9
4	/24

月　日

1 次の——線の漢字の読みをひらがなで記せ。

1 製菓会社が異分野に進出する。

2 汚れ物は自分で洗っている。

3 煙雨にかすむ町並みを望む。

4 憶測だけで判断してはいけない。

5 一足早く優良物件を押さえた。

6 雨が降り出しそうな鉛色の空だ。

7 奥から順につめて座る。

8 この部屋はひどく煙たい。

9 過ぎ去った日々を追憶する。

10 金糸でハンカチの縁取りをした。

11 昨日から上の奥歯が痛い。

12 工場の煙が鉛直に立ちのぼる。

13 昔からの腐《くさ》れ縁がたち切れない。

14 優れた汚水処理システムを作る。

15 貯金は煙のように消えた。

16 父の縁故をたよって上京した。

17 行列で押し合いへし合いする。

18 式典は厳かにとり行われた。

19 経歴に汚点を残すことになった。

20 汚い言葉づかいを改める。

21 入賞を機縁に作家を志す。

22 絵に合った額縁を選ぶ。

23 噴火《ふんか》による煙害が心配される。

24 雨に煙る空港を後にした。

2 次の（　）内に入る漢字を、後の□の中から選び、四字熟語を完成せよ。

1 現状（　）持（　）
2 （　）名返上（　）
3 一（　）両得（　）
4 新進気（　）（　）
5 絶体絶（　）（　）
6 有名（　）実（　）
7 利害（　）失（　）
8 有（　）転変（　）
9 心（　）一転（　）
10 理（　）整然（　）

為・維・鋭・汚・機・挙・得・無・命・路

3 次の――線のカタカナにあてはまる漢字をそれぞれのア～オから一つ選び、記号で記せ。

1 精**エイ**ぞろいの若いチームだ。（　）
2 成長を**エイ**像で記録する。（　）
3 魚**エイ**を見つけて糸を垂れる。（　）
（ア 英　イ 鋭　ウ 影　エ 映　オ 永）

4 人気が上向き、後**エン**会もできた。（　）
5 犯人は**エン**幕を張って姿を隠した。（　）
6 **エン**側に座って庭をながめる。（　）
（ア 遠　イ 縁　ウ 援　エ 鉛　オ 煙）

7 あまさをおさえた**カ**子を選ぶ。（　）
8 負けそうなチームに**カ**勢する。（　）
9 夏物の新商品を大量に入**カ**した。（　）
（ア 加　イ 貨　ウ 菓　エ 可　オ 荷）

4 次の――線のカタカナを漢字に直せ。

1 夜店に**ワタガシ**は付き物だ。
2 排気《はいき》ガスが村の空気を**ヨゴ**す。
3 山焼きの風下は**ケム**かった。
4 傷口を強く**オ**さえて止血する。
5 **エンギ**をかついで日を決めた。
6 **エンピツ**で簡単にスケッチする。
7 人々の**キオク**に残る作品だ。
8 たばこの**ケムリ**が目にしみる。
9 **ヤマオク**の小さな集落で暮らす。
10 足が**ナマリ**のように重い。
11 **キタナ**い手で触《さわ》ってはいけない。
12 駅の構内は全面的に**キンエン**だ。

13 夏は**レイカ**の売り上げがのびる。
14 楽しい行事が**メジロオ**しだ。
15 発表会の**エンソウ**を録音する。
16 家と学校とを**オウフク**する。
17 日本海の**エンガン**を北上する。
18 花模様を**オ**り出した布地だ。
19 前向きな**シセイ**で取り組む。
20 新しい仕事にも**ナ**れてきた。
21 同音**イギ**語を正しく使い分ける。
22 正面切って**イギ**を唱える。
23 ようやく部屋が**アタタ**まった。
24 親切にされて心が**アタタ**まった。

使い分けよう！ **ほけん【保健・保険】**
保健…例 保健体育　保健所　保健薬　保健衛生
（健康を保つ）
保険…例 生命保険　保険金　保険がきく
（事故などで一定の給付を受ける制度）

漢字	読み	画数	部首	部首名	漢字の意味	用例
暇	音 カ 訓 ひま	13	日	ひへん	ひま・やすみ・何かをする時間	休暇《きゅうか》・寸暇《すんか》・余暇《よか》・暇人《ひまじん》・暇《ひま》つぶし・手間暇《てまひま》
箇	音 カ 訓 —	14	⺮	たけかんむり	ものをかぞえるとき用いることば	箇所《かしょ》・箇条《かじょう》・一箇年《いっかねん》・十二箇月《じゅうにかげつ》
雅	音 ガ 訓 —	13	隹	ふるとり	上品なこと・風流なこと・おおらかなこと	雅楽《ががく》・雅号《がごう》・雅趣《がしゅ》・雅俗《がぞく》・雅量《がりょう》・典雅《てんが》・風雅《ふうが》・優雅《ゆうが》
介	音 カイ 訓 —	4	人	ひとやね	なかだちをする・たすける・つまらないもの	介護《かいご》・介在《かいざい》・介助《かいじょ》・介入《かいにゅう》・介抱《かいほう》・一介《いっかい》・魚介《ぎょかい》・紹介《しょうかい》
戒	音 カイ 訓 いまし(める)	7	戈	ほこづくり ほこがまえ	注意する・いましめる・さとす・おきて	戒告《かいこく》・戒名《かいみょう》・戒律《かいりつ》・訓戒《くんかい》・警戒《けいかい》・厳戒《げんかい》・自戒《じかい》・破戒《はかい》
皆	音 カイ 訓 みな	9	白	しろ	すべて・全部・おなじく	皆勤《かいきん》・皆済《かいさい》・皆伝《かいでん》・皆無《かいむ》・皆目《かいもく》・皆様《みなさま》
壊	音 カイ 訓 こわ(す) こわ(れる)	16	土	つちへん	くずれる・くずす	壊滅《かいめつ》・決壊《けっかい》・自壊《じかい》・全壊《ぜんかい》・損壊《そんかい》・倒壊《とうかい》・破壊《はかい》・壊《こわ》れ物《もの》
較	音 カク 訓 —	13	車	くるまへん	くらべる・きそう・あきらか	較差《かくさ》・比較《ひかく》
獲	音 カク 訓 え(る)	16	犭	けものへん	とらえる・つかまえる・手に入れる	獲得《かくとく》・漁獲《ぎょかく》・捕獲《ほかく》・乱獲《らんかく》・獲物《えもの》

筆順

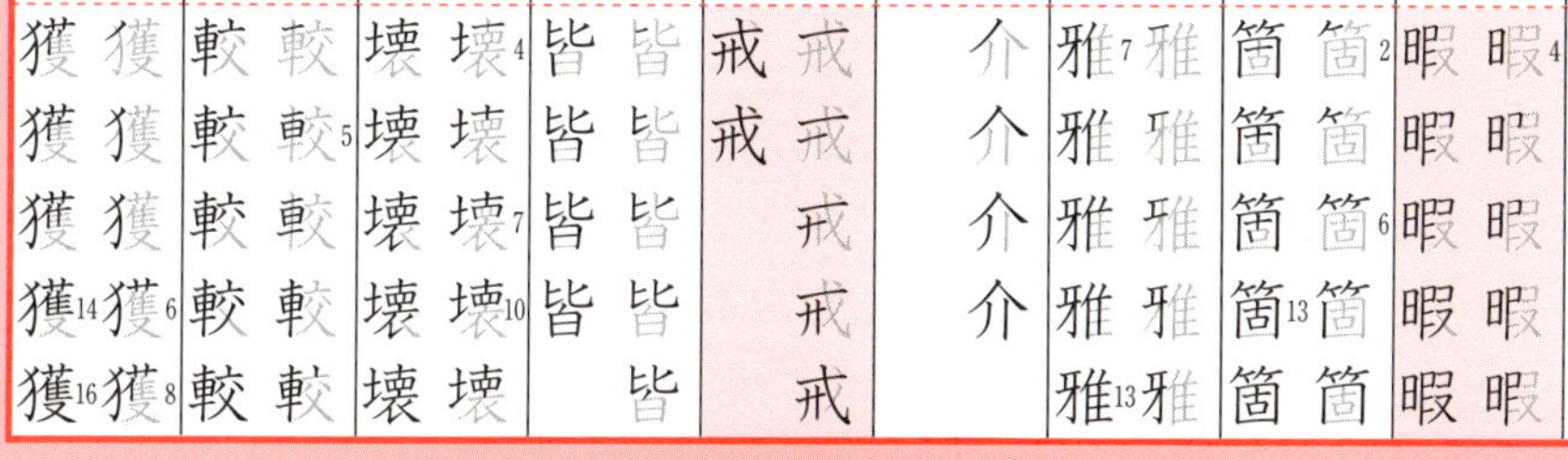

ステップ 4

練習問題

1	/24
2	/10
3	/10
4	/24

月　日

1 次の――線の漢字の読みをひらがなで記せ。

1 ライオンが獲物に飛びかかった。
2 高齢《こうれい》者の介護が社会問題となる。
3 二次災害に備え警戒を強める。
4 庭園の風雅な茶室に通された。
5 今回で借金は皆済できる。
6 魚介類は体によいといわれる。
7 形あるものはいつか壊れる。
8 間違っている箇所に線を引く。
9 姉は中学三年間を皆勤で通した。
10 苦労して現在の地位を獲得した。

11 成功できたのは皆のおかげだ。
12 境内では雅楽の演奏が始まった。
13 今年の冬は比較的暖かいようだ。
14 注文が多くて休む暇もない。
15 戦争で破壊された街が復興した。
16 乱暴な運転を戒められた。
17 寸暇をおしんで研究に打ちこむ。
18 小さな船で大海原にこぎ出した。
19 器物損壊の罪に問われる。
20 古い校舎を壊して建てかえる。
21 行楽地で余暇を楽しむ。
22 一日中、暇を持て余している。
23 軽率に行動しないよう自戒する。
24 その失敗はよい戒めとなった。

2 次の漢字と同じような意味の漢字を、後の□の中から選んで（　）に入れ、熟語を作れ。

1 休（　）
2 （　）整
3 （　）敬
4 （　）得
5 （　）反
6 救（　）
7 精（　）
8 比（　）
9 （　）写
10 破（　）

違・映・援・暇・壊・較・獲・尊・調・密

3 次の漢字の部首と部首名を（　）に記せ。部首名が二つ以上あるものは、そのいずれか一つを記せばよい。

		部首	部首名
1	獲	（　）	（　）
2	奥	（　）	（　）
3	暇	（　）	（　）
4	壱	（　）	（　）
5	戒	（　）	（　）
6	雅	（　）	（　）
7	皆	（　）	（　）
8	壊	（　）	（　）
9	創	（　）	（　）
10	幕	（　）	（　）

4

次の——線のカタカナを漢字に直せ。

1 **エモノ**を目がけて矢を射る。（　　）
2 厳しい**カイリツ**を守っている。（　　）
3 **キュウカ**を取って海外へ行く。（　　）
4 成功の可能性は**カイム**に等しい。（　　）
5 **ヒマ**を見つけて練習にはげむ。（　　）
6 複数の商品を**ヒカク**して買う。（　　）
7 **ミナサマ**お元気でしょうか。（　　）
8 保養地で**ユウガ**な日々を過ごす。（　　）
9 昨日の台風で屋根が**コワ**れた。（　　）
10 他国の**カイニュウ**をこばむ。（　　）
11 今年は**ギョカク**量が減少した。（　　）
12 ダムが**ケッカイ**する危険がある。（　　）

13 注意点を**カジョウガ**きにする。（　　）
14 **カイコ**のまゆから絹糸をとる。（　　）
15 資金不足を借入金で**オギナ**う。（　　）
16 案件を**サッキュウ**に処理する。（　　）
17 **オンダン**な地域で農業が盛んだ。（　　）
18 決勝戦は雨で**エンキ**となった。（　　）
19 草木を煮出《にだ》した液で布を**ソ**める。（　　）
20 **イドウ**図書館で本を借りる。（　　）
21 字句の**イドウ**を調べる。（　　）
22 人事**イドウ**で配属が変わった。（　　）
23 **ア**いた口がふさがらない。（　　）
24 **ア**いた席に座りなさい。（　　）

新進気鋭（しんしんきえい）

「気鋭」は「意気盛んなこと」をいい、「新進気鋭」は「ある分野に新しく登場し、注目される、意気込み盛んな人」を表します。

例 新進気鋭の作家が個展を開いた。

漢字	読み	画数	部首	部首名	漢字の意味	用例	筆順
刈	音 ―― 訓 か(る)	4	刂	りっとう	かる・まとめて切り取る・短く切る	刈《か》り入《い》れ・稲刈《いねか》り・草刈《くさか》り・丸刈《まるが》り	刈 刈 刈 刈
甘	音 カン 訓 あま(い) あま(える) あま(やかす)	5	甘	かん あまい	あまい・あまんじる・うまい	甘言《かんげん》・甘受《かんじゅ》・甘美《かんび》・甘味料《かんみりょう》・甘口《あまくち》・甘酒《あまざけ》・甘党《あまとう》	甘 甘 甘 甘 甘
汗	音 カン 訓 あせ	6	氵	さんずい	あせ	汗顔《かんがん》・発汗《はっかん》・汗水《あせみず》・脂汗《あぶらあせ》・寝汗《ねあせ》・一汗《ひとあせ》・冷《ひ》や汗《あせ》	汗 汗 汗 汗 汗 汗
乾	音 カン 訓 かわ(く) かわ(かす)	11	乙	おつ	水分がなくなる・いぬい（北西の方面）	乾季《かんき》・乾燥《かんそう》・乾電池《かんでんち》・乾杯《かんぱい》・乾物《かんぶつ》・生乾《なまがわ》き	乾 乾 乾 乾 乾6 乾 乾 乾 乾 乾
勧	音 カン 訓 すす(める)	13	力	ちから	すすめる・はげます	勧業《かんぎょう》・勧告《かんこく》・勧奨《かんしょう》・勧進《かんじん》・勧誘《かんゆう》・入会《にゅうかい》を勧《すす》める	勧 勧3 勧 勧 勧 勧 勧 勧11 勧 勧
歓	音 カン 訓 ――	15	欠	あくび かける	よろこぶ・たのしむ	歓喜《かんき》・歓迎《かんげい》・歓呼《かんこ》・歓声《かんせい》・歓送《かんそう》・歓待《かんたい》・歓談《かんだん》・交歓《こうかん》	歓3 歓 歓 歓 歓 歓 歓11 歓 歓 歓15
監	音 カン 訓 ――	15	皿	さら	みはりをする・ろうや・かんがみる	監禁《かんきん》・監査《かんさ》・監察《かんさつ》・監視《かんし》・監修《かんしゅう》・監督《かんとく》・総監《そうかん》	監 監 監 監 監 監 監 監10 監14 監
環	音 カン 訓 ――	17	王	おうへん たまへん	わ・ぐるぐるまわる・まわりをとりまく	環境《かんきょう》・環視《かんし》・環状《かんじょう》・環流《かんりゅう》・一環《いっかん》・金環《きんかん》・循環《じゅんかん》	環2 環4 環6 環8 環 環13 環 環 環 環
鑑	音 カン 訓 かんが(みる)［高］	23	金	かねへん	てほん・見わける・かんがみる	鑑査《かんさ》・鑑札《かんさつ》・鑑識《かんしき》・鑑賞《かんしょう》・鑑定《かんてい》・印鑑《いんかん》・図鑑《ずかん》・名鑑《めいかん》	鑑2 鑑4 鑑 鑑8 鑑 鑑12 鑑15 鑑18 鑑20 鑑23

ステップ 5

練習問題

1 /24
2 /10
3 /10
4 /24

月　日

1 次の——線の漢字の読みをひらがなで記せ。

1 印鑑登録の手続きをする。（　）
2 勝利の報に歓呼の声を上げた。（　）
3 牧草を刈り取って冬に備える。（　）
4 思いもよらぬ歓待を受けた。（　）
5 教授に辞典の監修をお願いした。（　）
6 夏は洗たく物の乾きが早い。（　）
7 父からの苦言を甘受する。（　）
8 法人に給料引き上げを勧告する。（　）
9 手に汗を握る熱戦が続いた。（　）
10 環状線は都市を一周している。（　）

11 夏はプール監視員として働く。（　）
12 ひざの上でネコが甘える。（　）
13 当地で勧業博覧会が始まった。（　）
14 鑑札のついた書画を所蔵する。（　）
15 乾物屋でかつおぶしを買う。（　）
16 父は医師から禁煙を勧められた。（　）
17 山頂の茶店で甘酒を注文した。（　）
18 衆人環視の中で事件が起きた。（　）
19 今度の不始末は汗顔の至りだ。（　）
20 夜がふけるまで友と歓をつくす。（　）
21 今は乾季で降雨量はゼロに近い。（　）
22 晩秋の乾いた風が心地よい。（　）
23 甘美なメロディーを楽しむ。（　）
24 妹は祖父に甘やかされて育った。（　）

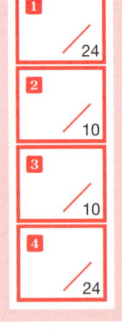

2

次の――線のところにあてはまる送りがなをひらがなで記せ。

〈例〉意見を述――。（べる）

1 水に落としたタオルを乾――。（　　）

2 水をやってもすぐに土が乾――。（　　）

3 夕日が西の山に隠――。（　　）

4 物陰に身を隠――。（　　）

5 あまり結論を急ぐと話が壊――。（　　）

6 校舎を取り壊――ことになった。（　　）

7 母は話を取り違――ている。（　　）

8 違――書類を提出していた。（　　）

9 親にいつまでも甘――ている。（　　）

10 子どもを甘――てはいけない。（　　）

3

次の各組の熟語が対義語の関係になるように、（　）に入る漢字を後の［　］の中から選べ。

1 増進―減（　　）

2 苦言―（　　）言

3 全休―（　　）勤

4 定期―（　　）時

5 油断―警（　　）

6 確信―（　　）測

7 散在―（　　）集

8 水平―（　　）直

9 保守―（　　）新

10 適法―（　　）法

違・鉛・憶・皆・戒・革・甘・退・密・臨

4 次の——線のカタカナを漢字に直せ。

1 **カンデンチ**の取りかえ時期だ。

2 判断が**アマ**かったと反省する。

3 進物で相手の**カンシン**を買う。

4 早朝の散歩で**ヒトアセ**かいた。

5 会計**カンサ**の報告があった。

6 雨にぬれた服を室内で**カワ**かす。

7 美術館で絵画を**カンショウ**する。

8 かみの毛を短く**カ**り上げる。

9 **ハッカン**で体温が下がった。

10 友人に**スス**められて入会した。

11 人工**カンミリョウ**を使っている。

12 生活**カンキョウ**が整っている。

13 両首脳はなごやかに**カンダン**した。

14 洋ランの**カブ**分けをした。

15 新居に移るまでの**カリ**の住まいだ。

16 講演の内容を**カンケツ**に述べる。

17 表通りに店の**カンバン**を出した。

18 税制**カイカク**について議論する。

19 退職して家業に**センネン**する。

20 警察が**ゲンカイ**体制をしく。

21 体力の**ゲンカイ**にいどんだ。

22 兄はかなりの**アツ**がりだ。

23 スープが**アツ**くて飲めない。

24 支持者の層が極めて**アツ**い。

使い分けよう！ **おさめる【収・納・治・修】**

収める…例 成功を収める 目録に収める （取り込む）

納める…例 税を納める 注文の品を納める （納入する）

治める…例 国を治める 領地を治める （うまくしずめる）

修める…例 学問を修める 身を修める （身につける）

漢字	読み	画数	部首	部首名	漢字の意味	用例
含	音 ガン 訓 ふく(む) ふく(める)	7	口	くち	内につつみこむ・深い味わい・いだく	含蓄《がんちく》・含味《がんみ》・含有《がんゆう》・包含《ほうがん》・かんで含《ふく》める
奇	音 キ 訓 ――	8	大	だい	ふしぎ・すぐれた・思いがけない・はんぱな	奇異《きい》・奇襲《きしゅう》・奇術《きじゅつ》・奇数《きすう》・奇想天外《きそうてんがい》・好奇《こうき》・数奇屋《すきや》
祈	音 キ 訓 いの(る)	8	ネ	しめすへん	いのる・神や仏に願う	祈雨《きう》・祈願《きがん》・祈念《きねん》・祈《いの》るような気持《きも》ち
鬼	音 キ 訓 おに	10	鬼	おに	死んだ人・おに・すぐれたもの	鬼気《きき》・鬼才《きさい》・鬼門《きもん》・悪鬼《あっき》・疑心暗鬼《ぎしんあんき》・吸血鬼《きゅうけつき》・青鬼《あおおに》
幾	音 キ 訓 いく	12	幺	よう いとがしら	いくつ・いくら・きざし・ほとんど	幾何学《きかがく》・幾多《いくた》・幾日《いくにち》《いくか》・幾分《いくぶん》
輝	音 キ 訓 かがや(く)	15	車	くるま	きらきらと明るく見える・かがやかしい	輝輝《きき》・輝石《きせき》・光輝《こうき》・清輝《せいき》・輝《かがや》かしい未来《みらい》
儀	音 ギ 訓 ――	15	イ	にんべん	作法に合ったおこない・やきまり・もけい	儀式《ぎしき》・儀典《ぎてん》・儀礼《ぎれい》・威儀《いぎ》・行儀《ぎょうぎ》・地球儀《ちきゅうぎ》・余儀《よぎ》・流儀《りゅうぎ》
戯	音 ギ 訓 たわむ(れる) 高	15	戈	ほこづくり ほこがまえ	たわむれる・ふざける・芝居《しばい》	戯画《ぎが》・戯曲《ぎきょく》・悪戯《あくぎ》・児戯《じぎ》・遊戯《ゆうぎ》

筆順

ステップ 6

練習問題

1 /24
2 /9
3 /10
4 /24

月　日

1

次の――線の漢字の読みをひらがなで記せ。

1 現代の世相を戯画化している。
2 庭園は幾何《か》学《がく》的に設計された。
3 何か含むところがありそうだ。
4 行儀の悪い座り方を注意された。
5 映画界の鬼才といわれた人だ。
6 毎朝欠かさず祈りをささげる。
7 輝石は鉱物の一種である。
8 神社に参拝して合格を祈願する。
9 チェーホフの戯曲を上演する。
10 新雪が朝日にきらきらと輝く。
11 まぼろしの名酒を含味する。
12 幾つもの流れ星を見て感動した。
13 神前で威儀を正して拝礼する。
14 余興で奇術を見せてもらった。
15 民話には多くの鬼が登場する。
16 幾多の難関を乗り越えてきた。
17 相手の気持ちを推し量る。
18 わが身を省みて恥《は》じ入る。
19 多くの問題を包含している。
20 よく言い含めてあきらめさせた。
21 めでたく縁談がまとまった。
22 金縁の眼鏡をかけている。
23 汚水処理設備を見学する。
24 汚れ役でチャンスをつかんだ。

2 次の——線のカタカナにあてはまる漢字をそれぞれのア～オから一つ選び、記号で記せ。

1 雪の重みで物置が全**カイ**した。（　）
2 だれの仕業か**カイ**目わからない。（　）
3 千人を動員して厳**カイ**体制に入る。（　）
（ア 戒　イ 皆　ウ 介　エ 階　オ 壊）

4 ギターの**カン**美な音色が広がる。（　）
5 客席から**カン**声が上がる。（　）
6 開花時期を植物図**カン**で調べた。（　）
（ア 監　イ 鑑　ウ 歓　エ 勧　オ 甘）

7 年をとっても好**キ**心を失わない。（　）
8 実現しそうもない**キ**上のプランだ。（　）
9 豆をまいて悪**キ**を追いはらう。（　）
（ア 奇　イ 輝　ウ 鬼　エ 机　オ 幾）

3 次の（　）内に入る漢字を、後の［　］の中から選び、四字熟語を完成せよ。

1 環境破（　）（　）
2 百（　）（　）夜行
3 意味深（　）（　）
4 半信半（　）（　）
5 疑心（　）（　）鬼
6 衆人（　）（　）視
7 （　）（　）果応報
8 共存共（　）（　）
9 （　）（　）想天外
10 旧態（　）（　）然

暗・依・因・栄・壊・環・鬼・奇・疑・長

4 次の――線のカタカナを漢字に直せ。

1 来年のことを言うと**オニ**が笑う。

2 合計金額は**イク**らになるのか。

3 刀身が銀色の**コウキ**を放つ。

4 世界の平和を心から**イノ**る。

5 **ヨギ**ない事情で出席できない。

6 **キモン**の方角に気をつける。

7 かんで**フク**めるように説明する。

8 一日も早い全快を**キネン**する。

9 目を**カガヤ**かせて話に聞き入る。

10 **スウキ**な運命をたどった人だ。

11 単なる言葉の**ユウギ**に過ぎない。

12 食品の鉄分**ガンユウ**量を調べる。

13 **キソク**正しい生活を心がける。

14 日が**ク**れるまで練習を続けた。

15 **キケン**な場所は立ち入り禁止だ。

16 公園で遊ぶ子どもが**ヘ**ってきた。

17 弟子に技の極意を**デンジュ**する。

18 母の着物と**オビ**をゆずり受けた。

19 来客用にお**カシ**を準備する。

20 **カシ**の内容にぴったりの曲だ。

21 アユ漁の**カイキン**日が近い。

22 六年連続で**カイキン**賞をもらう。

23 従業員の賃金を**ア**げた。

24 身近なことを例に**ア**げて説く。

疑心暗鬼（ぎしんあんき）

「疑心、暗鬼を生ず」の略。「疑いの心があると、何でもないことにまで不安や恐怖《きょうふ》を覚えるようになってしまうこと」を表す言葉です。中国で「鬼」は、「幽霊《ゆうれい》・霊魂《れいこん》」を指します。

例　その一言で、ますます疑心暗鬼におちいった。

ステップ 1-6

力だめし

第1回

総得点 /100

評価

A
80点 B
75点 C
70点 D
60点 E

月　日

1

次の――線の漢字の読みをひらがなで記せ。

1×10 /10

1 子どもの扱い方が実に上手だ。（　　）
2 周囲から奇異の目で見られる。（　　）
3 緯線は赤道に平行な仮想の線だ。（　　）
4 絵画が本物かどうかを鑑定する。（　　）
5 城は修復で偉観を取りもどした。（　　）
6 鉛を飲んだように胃が重い。（　　）
7 お茶うけに和菓子を出した。（　　）
8 越境入学が許可される。（　　）
9 父は汗水たらして働いている。（　　）
10 五箇年計画が新たに発表された。（　　）

2

次の漢字の部首をア～エから一つ選び、記号で記せ。

1×10 /10

1 越（ア走　イ戈　ウ厂　エ土）（　　）
2 鬼（ア田　イ儿　ウ厶　エ鬼）（　　）
3 鑑（アノ　イ金　ウ臣　エ皿）（　　）
4 隠（ア阝　イ⺤　ウ心　エノ）（　　）
5 介（ア入　イ𠆢　ウノ　エ丨）（　　）
6 影（ア日　イ亠　ウ口　エ彡）（　　）
7 甘（ア一　イ十　ウ凵　エ甘）（　　）
8 奇（ア大　イ一　ウ口　エ亅）（　　）
9 刈（アノ　イ丶　ウ刂　エ亅）（　　）
10 幾（ア幺　イ弋　ウ人　エ戈）（　　）

3

次の――線のカタカナを漢字一字と送りがな（ひらがな）に直せ。

1×10 ／10

〈例〉問題にコタエル。（答える）

1 相手の弱みをニギッている。（　　）

2 心のユタカナ人間になりたい。（　　）

3 フタタビ会うことはないだろう。（　　）

4 スルドイ感覚の持ち主だ。（　　）

5 庭仕事をして手がヨゴレル。（　　）

6 子どものいたずらをイマシメル。（　　）

7 円満な解決がノゾマシイ。（　　）

8 台風はサイワイ東にそれた。（　　）

9 訪問客に食事をススメル。（　　）

10 栄養分を多くフクンでいる。（　　）

4

熟語の構成のしかたには次のようなものがある。

1×10 ／10

ア 同じような意味の漢字を重ねたもの（岩石）

イ 反対または対応の意味を表す字を重ねたもの（高低）

ウ 上の字が下の字を修飾《しゅうしょく》しているもの（洋画）

エ 下の字が上の字の目的語・補語になっているもの（着席）

オ 上の字が下の字の意味を打ち消しているもの（非常）

次の熟語は右のア～オのどれにあたるか、一つ選び、記号で記せ。

1 不備（　　）

2 奇数（　　）

3 製菓（　　）

4 絶縁（　　）

5 乾季（　　）

6 休暇（　　）

7 甘言（　　）

8 閉幕（　　）

9 遊戯（　　）

10 去来（　　）

5

次の各文にまちがって使われている同じ読みの漢字が一字ある。上に誤字を、下に正しい漢字を記せ。

2×5 ／10

		誤	正
1	研究分野では権位といわれる教授だが、酒席では実にざっくばらんに学生と語り合う。	（　）	（　）
2	祖父母は複数のおもちゃを熱心に比格し、最終的に木製のアヒルを孫に買ってきた。	（　）	（　）
3	科学技術の発達は我々に効律的な生活をもたらす一方、自然環境をそこなう可能性もある。	（　）	（　）
4	青年が宿敵を破り、王座を獲得したので、支縁者が大勢集まって盛大な祝勝会を開いた。	（　）	（　）
5	雲一つない熱暑の昼下がりとはいえ、公園の大樹の木影に入るとさすがにすずしい。	（　）	（　）

6

後の［　］内のひらがなを漢字に直して（　）に入れ、対義語・類義語を作れ。［　］内のひらがなは一度だけ使い、漢字一字を記せ。

1×10 ／10

対義語

1 悲鳴―（　）声

2 陽性―（　）性

3 建設―破（　）

4 自然―人（　）

5 除外―包（　）

類義語

6 加勢―応（　）

7 案内―先（　）

8 悪評―（　）名

9 回想―追（　）

10 切実―（　）切

［い・いん・えん・お・おく・かい・かん・がん・つう・どう］

7

次の（　）内に入る適切な語を、後の□の中から選び、漢字に直して四字熟語を完成せよ。

2×10　／20

1 悪口（　）言

2 （　）味本位

3 玉石（　）交

4 自重自（　）

5 平身（　）頭

6 外交辞（　）

7 （　）風堂堂

8 天（　）地異

9 意気（　）合

10 一刀（　）断

い・かい・きょう・こん・ぞう・てい・とう・ぺん・りょう・れい

8

次の――線のカタカナを漢字に直せ。

2×10　／20

1 先月末で**イガン**退職した。（　）

2 山火事の**コクエン**が空をおおう。（　）

3 バスの**ウンチン**が値上げされる。（　）

4 入学祝いは**チキュウギ**だった。（　）

5 エレベーターのボタンを**オ**す。（　）

6 身の**チヂ**む思いで話を聞いた。（　）

7 心の**オクソコ**にひめた思いだ。（　）

8 青色の毛糸でセーターを**ア**む。（　）

9 留学中の友の**アンピ**をたずねる。（　）

10 残ったお金を銀行に**アズ**けた。（　）

漢字表

ステップ 7

漢字	読み	画数	部首	部首名	漢字の意味	用例
詰	音 キツ 高 訓 つ(める) つ(まる) つ(む)	13	言	ごんべん	問いつめる・つまる・つめる・まがる	詰問《きつもん》・難詰《なんきつ》・息詰《いきづ》まる・大詰《おおづ》め・箱詰《はこづ》め
却	音 キャク 訓 —	7	卩	わりふ ふしづくり	しりぞく・受けつけない・～し終わる	却下《きゃっか》・消却《しょうきゃく》・退却《たいきゃく》・脱却《だっきゃく》・売却《ばいきゃく》・返却《へんきゃく》・冷却《れいきゃく》
脚	音 キャク キャ 高 訓 あし	11	月	にくづき	あし・下についてささえるもの	脚色《きゃくしょく》・脚注《きゃくちゅう》・脚本《きゃくほん》・脚力《きゃくりょく》・脚光《きゃっこう》・健脚《けんきゃく》・失脚《しっきゃく》・立脚《りっきゃく》
及	音 キュウ 訓 およ(ぶ) およ(び) およ(ぼす)	3	又	また	追いつく・そこまで届く・および・ならびに	及第《きゅうだい》・及落《きゅうらく》・言及《げんきゅう》・追及《ついきゅう》・波及《はきゅう》・普及《ふきゅう》・及《およ》び腰《ごし》
丘	音 キュウ 訓 おか	5	一	いち	少しもりあがった土地	丘陵《きゅうりょう》・砂丘《さきゅう》・段丘《だんきゅう》・小高《こだか》い丘《おか》
朽	音 キュウ 訓 く(ちる)	6	木	きへん	くさってくずれる・役に立たない	枯朽《こきゅう》・不朽《ふきゅう》・腐朽《ふきゅう》・老朽《ろうきゅう》・朽《く》ちることのない名声《めいせい》
巨	音 キョ 訓 —	5	工	え たくみ	大きい・多い・すぐれた	巨額《きょがく》・巨漢《きょかん》・巨人《きょじん》・巨体《きょたい》・巨大《きょだい》・巨頭《きょとう》・巨費《きょひ》・巨万《きょまん》
拠	音 キョ コ 訓 —	8	扌	てへん	たよる・よりどころ・たてこもる	拠点《きょてん》・根拠《こんきょ》・準拠《じゅんきょ》・占拠《せんきょ》・本拠《ほんきょ》・論拠《ろんきょ》・証拠《しょうこ》
距	音 キョ 訓 —	12	⻊	あしへん	へだたる・たがう・間をおく	距離《きょり》・遠距離《えんきょり》・車間距離《しゃかんきょり》

筆順

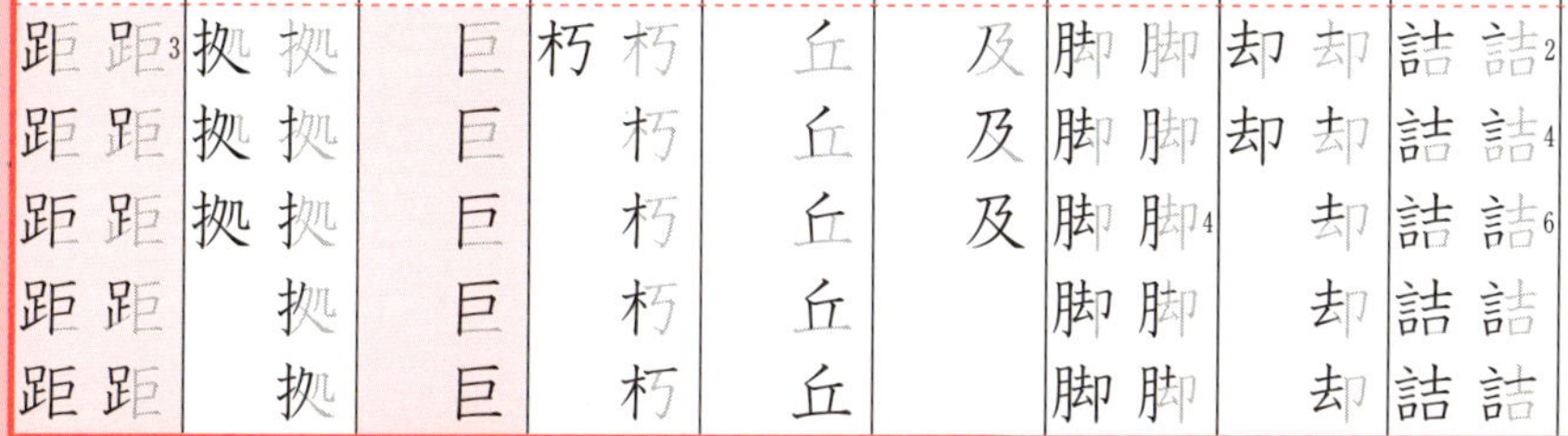

ステップ 7

練習問題

1	/24
2	/10
3	/10
4	/24

月　日

1 次の——線の漢字の読みをひらがなで記せ。

1 少し距離《り》を置いて付き合う。（　）
2 息詰まる熱戦がくり広げられた。（　）
3 各地方に商品の流通拠点を置く。（　）
4 否定的な意見は全部却下された。（　）
5 倉庫にあった机の脚を修理する。（　）
6 大将はやむを得ず退却を命じた。（　）
7 脚注を参考にして古典を読む。（　）
8 運動会当日は本部に詰めている。（　）
9 河岸段丘として有名な土地だ。（　）
10 作品が入賞して脚光を浴びた。（　）

11 事件の確かな証拠をつかんだ。（　）
12 常人の及ぶところではない。（　）
13 後世に残る不朽の名作である。（　）
14 健脚向きの登山コースにいどむ。（　）
15 朽ちた大木が横たわっていた。（　）
16 巨大なビルが林立している。（　）
17 丘の上から港の船が見える。（　）
18 親友の門出を心から祝う。（　）
19 管理者の責任を追及すべきだ。（　）
20 たばこは健康に害を及ぼす。（　）
21 吸血鬼が主人公の長編小説だ。（　）
22 豆まきをして鬼を追いはらう。（　）
23 候補者が拡声器で呼びかける。（　）
24 とうていリーダーの器ではない。（　）

2 次のAとBの漢字を一字ずつ組み合わせて二字の熟語を作れ。Bの漢字は必ず一度だけ使う。また、AとBどちらの漢字が上でもよい。

A

1 老　2 冷　3 費　4 脚　5 丘
6 拠　7 姉　8 深　9 遊　10 及

B

言　準　砂　戯　紅
妹　却　飛　朽　巨

1 （　　）
2 （　　）
3 （　　）
4 （　　）
5 （　　）
6 （　　）
7 （　　）
8 （　　）
9 （　　）
10 （　　）

3 次の各組の熟語が対義語の関係になるように、（　）に入る漢字を後の［　］の中から選べ。

1 寒冷―温（　　）
2 義務―（　　）利
3 平易―（　　）解
4 雨季―（　　）季
5 単独―（　　）同
6 借用―返（　　）
7 経度―（　　）度
8 結成―解（　　）
9 独立―（　　）存
10 落第―（　　）第

依・緯・乾・却・及・共・権・散・暖・難

4 次の——線のカタカナを漢字に直せ。

1 **ショウコ**を隠した疑いがある。
2 建設に**キョガク**の費用を要した。
3 経済への**ハキュウ**効果が現れる。
4 永遠に**ク**ちることのない愛だ。
5 事実に**リッキャク**した主張だ。
6 **サキュウ**で育つ植物を研究する。
7 感動のあまり言葉に**ツ**まる。
8 借りていた本を**ヘンキャク**する。
9 そう断言できる**コンキョ**はない。
10 機能**オヨ**び用法を説明する。
11 校舎の**ロウキュウ**化が進む。
12 果物を**ハコヅ**めにして送った。
13 駅まではかなりの**キョ**離《り》がある。
14 一夜にして城を**キズ**いたそうだ。
15 土が水を**キュウシュウ**する。
16 アイデアが**イズミ**のようにわく。
17 本堂で心静かに本尊を**オガ**む。
18 高い**ココロザシ**を持つ仲間だ。
19 謝礼は**イッサイ**受け取らない。
20 ひざの**キズグチ**に薬をつける。
21 正月には故郷に**キセイ**する。
22 思わず**キセイ**を発してしまった。
23 少々お金が**イ**る話だ。
24 雨なので外出せずに家に**イ**る。

使い分けよう! **かんしょう【観賞・鑑賞】**
観賞…例 熱帯魚を観賞する
(自然や草花などを見て楽しむ)
鑑賞…例 絵画を鑑賞する
(芸術作品などを味わって理解する)

漢字	読み	画数	部首	部首名	漢字の意味	用例	筆順
御	音 ギョ・ゴ 訓 おん	12	彳	ぎょうにんべん	馬をあつかう・おさめる・丁寧《ていねい》な意の接頭語	御意《ぎょい》・御者《ぎょしゃ》・御殿《ごてん》・御用《ごよう》・制御《せいぎょ》・統御《とうぎょ》・防御《ぼうぎょ》・御中《おんちゅう》	御(3) 御 御 御 御 御 御 御 御 御
凶	音 キョウ 訓 ―	4	凵	うけばこ	ききん・心がわるい・えんぎがわるい	凶悪《きょうあく》・凶器《きょうき》・凶作《きょうさく》・凶事《きょうじ》・凶徒《きょうと》・凶暴《きょうぼう》・吉凶《きっきょう》・元凶《げんきょう》	凶 凶 凶 凶
叫	音 キョウ 訓 さけ(ぶ)	6	口	くちへん	大声を出す・よぶ・なく	叫喚《きょうかん》・叫号《きょうごう》・絶叫《ぜっきょう》・叫《さけ》び声《ごえ》	叫 叫 叫 叫 叫 叫
狂	音 キョウ 訓 くる(う)・くる(おしい)	7	犭	けものへん	くるう・くるったようにはげしい・ふざける	狂気《きょうき》・狂喜《きょうき》・狂言《きょうげん》・狂騒《きょうそう》・狂乱《きょうらん》・熱狂《ねっきょう》・発狂《はっきょう》・狂《くる》い咲《ざ》き	狂 狂 狂 狂 狂 狂 狂
況	音 キョウ 訓 ―	8	氵	さんずい	ようす・ありさま	活況《かっきょう》・近況《きんきょう》・好況《こうきょう》・実況《じっきょう》・状況《じょうきょう》・盛況《せいきょう》・戦況《せんきょう》・不況《ふきょう》	況 況 況 況 況 況 況 況
狭	音 キョウ 高 訓 せま(い)・せば(める)・せば(まる)	9	犭	けものへん	せまい・心がせまい・範囲《はんい》が小さい	狭量《きょうりょう》・広狭《こうきょう》・偏狭《へんきょう》・狭《せま》き門《もん》・手狭《てぜま》な家《いえ》・視野《しや》が狭《せば》まる	狭 狭 狭 狭 狭 狭 狭 狭 狭
恐	音 キョウ 訓 おそ(れる)・おそ(ろしい)	10	心	こころ	こわがる・かしこまる・つつしむ・おどす	恐慌《きょうこう》・恐縮《きょうしゅく》・恐怖《きょうふ》・末恐《すえおそ》ろしい	恐 恐 恐 恐 恐 恐 恐 恐 恐 恐
響	音 キョウ 訓 ひび(く)	20	音	おと	ひびき・ひびく・他へはたらきをおよぼす	響応《きょうおう》・影響《えいきょう》・音響《おんきょう》・交響楽《こうきょうがく》・交響曲《こうきょうきょく》・反響《はんきょう》・打《う》てば響《ひび》く	響(3) 響(6) 響(8) 響 響 響 響(13) 響(16) 響(20) 響

ステップ 8

練習問題

1	/24
2	/16
3	/10
4	/24

月　日

1 次の——線の漢字の読みをひらがなで記せ。

1 番組に対する反響は大きかった。

2 この車は速度制御装置付きだ。

3 人と交わらないと視野が狭まる。

4 ジェットコースターで絶叫する。

5 敵を恐れてばかりではいけない。

6 公演は大入り満員の盛況だった。

7 熱狂的なファンが押し寄せた。

8 肩身《かたみ》の狭い思いをさせられた。

9 毎日おいしい御飯を食べている。

10 お越しいただき恐縮しています。

11 発車のベルが鳴り響いた。

12 決勝戦の実況放送を聞く。

13 昨年は長雨がたたり凶作だった。

14 末恐ろしい才能の持ち主だ。

15 社名に御中をつけて手紙を出す。

16 狂おしいほどに待ちこがれる。

17 不況で閉店に追いこまれた。

18 子どもたちが大声で叫んでいる。

19 仏前に座してお経をよむ。

20 近くの耳鼻科に通院している。

21 合格の知らせに狂喜した。

22 手違いがあって計画が狂った。

23 新たに交響楽団が組織される。

24 トランペットの音色が響き渡《わた》る。

2 次の（　）にそれぞれ異なる「キョウ」と音読みする適切な漢字を書き入れて熟語を作れ。

1 （　）里
2 （　）運
3 状（　）
4 （　）乱
5 （　）争
6 （　）囲
7 （　）給
8 （　）器

9 （　）賛
10 （　）界
11 （　）怖《ふ》
12 音（　）
13 （　）存
14 鉄（　）
15 （　）味
16 （　）面

3 次の漢字の部首をア〜エから一つ選び、記号で記せ。

1 輝（ア ⺌　イ 儿　ウ 冖　エ 車）（　）
2 含（ア 人　イ 二　ウ 山　エ 口）（　）
3 響（ア 幺　イ 阝　ウ 音　エ 日）（　）
4 戯（ア 虍　イ ノ　ウ 弋　エ 戈）（　）
5 及（ア ノ　イ 廴　ウ 又　エ 人）（　）
6 恐（ア 工　イ 几　ウ 丶　エ 心）（　）
7 勧（ア 二　イ 隹　ウ ノ　エ 力）（　）
8 凶（ア ノ　イ 丶　ウ 一　エ 凵）（　）
9 丘（ア ノ　イ 二　ウ 一　エ 斤）（　）
10 脚（ア 月　イ 土　ウ 厶　エ 卩）（　）

4 次の——線のカタカナを漢字に直せ。

1 **オソ**ろしい夢を見て目が覚めた。（　　）
2 **キョウゲン**は日本の古典芸能だ。（　　）
3 放置自転車が道を**セバ**めている。（　　）
4 わが家の**キンキョウ**を知らせる。（　　）
5 救助を求めて声を限りに**サケ**ぶ。（　　）
6 何か**ゴヨウ**はございませんか。（　　）
7 打てば**ヒビ**くような受け答えだ。（　　）
8 汚職の**ゲンキョウ**と目される。（　　）
9 秋に桜が**クル**い咲《ざ》きした。（　　）
10 部屋が**テゼマ**になってきた。（　　）
11 あわてて城の**ボウギョ**を固める。（　　）
12 業界に悪**エイキョウ**を及ぼす。（　　）

13 寒さが最も**キビ**しい時期だ。（　　）
14 **ギャクテン**優勝に大喜びした。（　　）
15 高をくくって**イタ**いめにあった。（　　）
16 **キヌ**をさくような悲鳴を聞いた。（　　）
17 **カンベン**な方法で調理する。（　　）
18 **オソ**れをなして早々に退散した。（　　）
19 季節の**クダモノ**が店頭に並ぶ。（　　）
20 **ベンゼツ**さわやかな好青年だ。（　　）
21 **キキ**せまる光景を目にした。（　　）
22 **キキ**意識がうすれてきている。（　　）
23 **カタ**破りの発想で難問を解いた。（　　）
24 悪だくみの**カタ**棒をかつぐ。（　　）

使い分けよう！　**かんしん【感心・関心・歓心・寒心】**

感心…例　いたく感心する　（心に深く感じること）
関心…例　サッカーに関心がある　（興味を持つこと）
歓心…例　上役の歓心を買う　（うれしいと思うこと）
寒心…例　寒心にたえない　（ぞっとすること）

ステップ 9

漢字	読み	画数	部首	部首名	漢字の意味	用例	筆順
驚	音 キョウ／訓 おどろ(く)・おどろ(かす)	22	馬	うま	びっくりする	驚異《きょうい》・驚喜《きょうき》・驚嘆《きょうたん》・驚天動地《きょうてんどうち》・驚《おどろ》きを隠《かく》す	3・5・8・11・17・22
仰	音 ギョウ・コウ／訓 あお(ぐ)・おお(せ) 高	6	亻	にんべん	上を向く・あがめる・おおせ	仰角《ぎょうかく》・仰視《ぎょうし》・仰天《ぎょうてん》・信仰《しんこう》・仰《あお》げば尊《とうと》し	
駆	音 ク／訓 か(ける)・か(る)	14	馬	うまへん	かける・思いのままに・追いたてる	駆使《くし》・駆除《くじょ》・駆逐《くちく》・駆動《くどう》・先駆《せんく》・駆《か》け足《あし》・駆《か》け回《まわ》る	5・10
屈	音 クツ／訓 ――	8	尸	かばね しかばね	かがむ・くじける・いきづまる	屈強《くっきょう》・屈指《くっし》・屈従《くつじゅう》・屈折《くっせつ》・屈服《くっぷく》・退屈《たいくつ》・不屈《ふくつ》・理屈《りくつ》	
掘	音 クツ／訓 ほ(る)	11	扌	てへん	ほる・ほりだす	掘削《くっさく》・採掘《さいくつ》・試掘《しくつ》・盗掘《とうくつ》・発掘《はっくつ》・掘《ほ》り出《だ》し物《もの》・芋掘《いもほ》り	5
繰	音 ――／訓 く(る)	19	糸	いとへん	引きよせまきとる・順におくる・かぞえる	繰《く》り上《あ》げ・繰《く》り返《かえ》し・繰《く》り延《の》べ・糸繰《いとく》り・やり繰《く》り	3・6・9・12・15・19
恵	音 ケイ・エ／訓 めぐ(む)	10	心	こころ	めぐむ・したがう・かしこい	恵雨《けいう》・恵贈《けいぞう》・恵与《けいよ》・恵方《えほう》・恩恵《おんけい》・互恵《ごけい》・天恵《てんけい》・知恵《ちえ》	
傾	音 ケイ／訓 かたむ(く)・かたむ(ける)	13	亻	にんべん	かたむく・心をよせる・そうなりがち	傾向《けいこう》・傾斜《けいしゃ》・傾注《けいちゅう》・傾倒《けいとう》・左傾《さけい》・日《ひ》が傾《かたむ》く	2・6・10

ステップ 9

練習問題

1	／24
2	／5
3	／10
4	／24

月　日

1 次の――線の漢字の読みをひらがなで記せ。

1 事業に全力を傾注する。

2 自然界の驚異に目を見張る。

3 皆で知恵をしぼって解決した。

4 祖母は信仰心のあつい人だった。

5 理屈に合わないことを言われた。

6 あわただしく駆け回る毎日だ。

7 試掘中に温泉がわき出した。

8 真夏の星空を仰視する。

9 強い風に船が大きく傾いた。

10 豊かな天恵がもたらされた。

11 実物の巨大さには驚かされた。

12 労働運動の先駆をなした人だ。

13 幾度も繰り返して注意した。

14 世界屈指の名門大学に通う。

15 恵みの雨で草木がうるおった。

16 終生の師と仰ぐ人物に出会った。

17 庭の土を掘って球根を植えた。

18 先生は毒舌家で知られている。

19 薬剤《やくざい》を使用して害虫を駆除する。

20 先行きへの不安に駆られた。

21 思いがけない再会に驚喜する。

22 映画の意外な結末に驚いた。

23 生来の筆無精をお許しください。

24 もはや精も根もつき果てた。

2

次の各文にまちがって使われている同じ読みの漢字が一字ある。上に誤字を、下に正しい漢字を記せ。

		誤	正
1	大学は労朽化した図書館を取り壊し、新館の建設に取りかかった。	（　）	（　）
2	保護者の印監もしくはサインがないと、許可を得るための書類が提出できない。	（　）	（　）
3	周辺に点在する古代の偉構を発掘して、綿密な調査を行っている。	（　）	（　）
4	宿を一箇所に定め、そこを拠典にして路線バスで名所をめぐった。	（　）	（　）
5	新進気鋭の若き指揮者が登場し、難曲とされる交協曲を見事にまとめ上げた。	（　）	（　）

3

次の各組の熟語が類義語の関係になるように、（　）に入る漢字を後の［　］の中から選べ。

1 大樹―（　）木

2 保持―（　）持

3 風潮―（　）向

4 推量―（　）測

5 親類―（　）者

6 動転―（　）天

7 後方―（　）後

8 用心―警（　）

9 助力―支（　）

10 風流―風（　）

維・援・縁・憶・雅・戒・巨・仰・傾・背

4 次の——線のカタカナを漢字に直せ。

1 一種の民間**シンコウ**といえよう。
2 創作意欲を**カ**り立てる風景だ。
3 村の古老の話に耳を**カタム**ける。
4 海底から石油を**サイクツ**する。
5 医師に指示を**アオ**いだ。
6 生物は太陽の**オンケイ**を受ける。
7 足音に**オドロ**いて鳥が飛び立つ。
8 光の**クッセツ**の実験をした。
9 辞書を**ク**って意味を調べる。
10 技術を**クシ**して完成させた。
11 **イモホ**りで楽しい一日を過ごす。
12 音楽の才能に**メグ**まれている。

13 家族一同びっくり**ギョウテン**だ。
14 人口が減少の**ケイコウ**にある。
15 **キョウリ**から父が上京した。
16 **ケワ**しい山道にさしかかった。
17 言い**ワケ**をするつもりはない。
18 引っ越して半年が**ケイカ**した。
19 旅先で道に迷って**コマ**った。
20 **キチョウ**品を預かっている。
21 青を**キチョウ**とした絵をかく。
22 **モト**を正せば自分が悪かった。
23 外出前に火の**モト**を確かめる。
24 史実に**モト**づいた小説だ。

使い分けよう！ **ついきゅう【追究・追求・追及】**
追究…例 真理の追究　学問の追究　（きわめる）
追求…例 利益の追求　幸福の追求　（追い求める）
追及…例 責任の追及　余罪の追及　（追いつめる）

漢字	読み	画数	部首	部首名	漢字の意味	用例	筆順
継	音 ケイ 訓 つ(ぐ)	13	糸	いとへん	つぐ・続ける・血のつながりのない間がら	継承《けいしょう》・継続《けいぞく》・後継《こうけい》・中継《ちゅうけい》・跡継《あとつ》ぎ・引《ひ》き継《つ》ぎ	
迎	音 ゲイ 訓 むか(える)	7	⻌	しんにょう しんにゅう	むかえる・他人の気に入るようにする	迎撃《げいげき》・迎合《げいごう》・迎春《げいしゅん》・歓迎《かんげい》・送迎《そうげい》・迎《むか》え火《び》・出迎《でむか》え	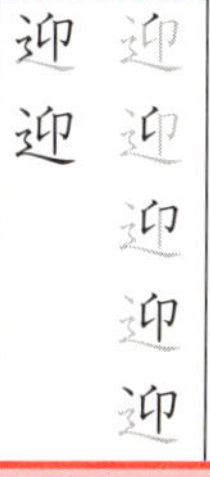
撃	音 ゲキ 訓 う(つ)	15	手	て	たまをうつ・やっつける・ふれる	撃退《げきたい》・撃沈《げきちん》・攻撃《こうげき》・射撃《しゃげき》・打撃《だげき》・反撃《はんげき》・砲撃《ほうげき》・目撃《もくげき》	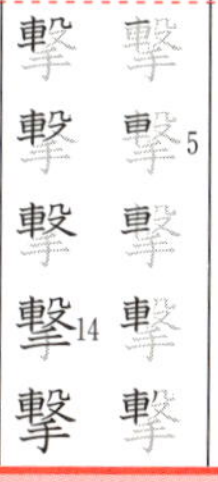
肩	音 ケン 高 訓 かた	8	肉	にく	かた・になう・もちこたえる	肩章《けんしょう》・双肩《そうけん》・比肩《ひけん》・肩入《かたい》れ・肩書《かたが》き・肩車《かたぐるま》・肩幅《かたはば》・肩身《かたみ》	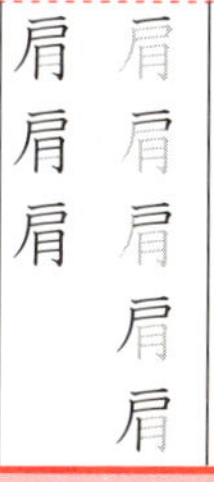
兼	音 ケン 訓 か(ねる)	10	八	はち	かねる・あわせもつ・前もって	兼業《けんぎょう》・兼行《けんこう》・兼職《けんしょく》・兼任《けんにん》・兼務《けんむ》・兼用《けんよう》・才色兼備《さいしょくけんび》	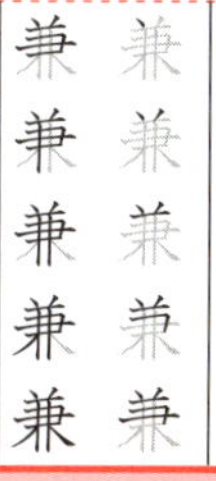
剣	音 ケン 訓 つるぎ	10	刂	りっとう	つるぎ・きる・剣法・短い刀	剣術《けんじゅつ》・剣道《けんどう》・剣舞《けんぶ》・剣法《けんぽう》・真剣《しんけん》・刀剣《とうけん》・木剣《ぼっけん》・剣《つるぎ》の舞《まい》	
軒	音 ケン 訓 のき	10	車	くるまへん	ひさし・あがる・家・家をかぞえることば	軒灯《けんとう》・一軒家《いっけんや》・軒先《のきさき》・軒下《のきした》・軒並《のきな》み	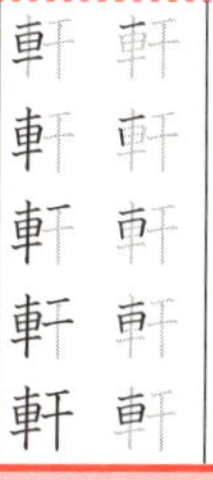
圏	音 ケン 訓 —	12	囗	くにがまえ	かこい・しきり・限られた区域	圏外《けんがい》・圏内《けんない》・首都圏《しゅとけん》・大気圏《たいきけん》・文化圏《ぶんかけん》・北極圏《ほっきょくけん》	

ステップ 10

練習問題

1	/24
2	/16
3	/10
4	/24

月　日

1 次の――線の漢字の読みをひらがなで記せ。

1 宇宙船が大気圏に再突入《とつにゅう》した。
2 河川の水質調査を継続する。
3 刀剣のコレクションが公開された。
4 飛んでいる鳥を撃ち落とした。
5 農家の軒先で野菜を売っている。
6 多くの役職を兼務している。
7 会社の前に迎えの車を用意する。
8 首都圏には人口が集中している。
9 有名な流派の剣法を習う。
10 肩に一ひらの花びらが落ちた。
11 ここから五軒先に薬局がある。
12 旅行先で大きな事故を目撃した。
13 「剣の舞《まい》」という名曲がある。
14 積極的な提案は大歓迎だ。
15 書店と文具店とを兼ねた店だ。
16 伝統技術を継ぐ者が減っている。
17 天から授かった大切な命だ。
18 神社の境内は人であふれている。
19 いかにも軽率だったと反省した。
20 悲しい光景に思わず目を背けた。
21 権力への迎合だと批判された。
22 家族そろって新年を迎えた。
23 国民生活への影響が多大である。
24 うわさをすれば影がさす。

2 次の（　）にそれぞれ異なる「ケン」と音読みする適切な漢字を書き入れて熟語を作れ。

1 （　）庁
2 （　）術
3 試（　）
4 危（　）
5 （　）査
6 事（　）
7 違（　）
8 （　）任
9 （　）限
10 （　）築
11 （　）康
12 （　）究
13 北極（　）
14 意（　）
15 旅（　）
16 一（　）家

3 次の（　）内に入る漢字を、後の□の中から選び、四字熟語を完成せよ。

1 無病息（　）
2 不（　）実行
3 波（　）効果
4 八方（　）人
5 真（　）勝負
6 昼夜（　）行
7 （　）故知新
8 適者生（　）
9 （　）天動地
10 二人三（　）

温・脚・及・驚・兼・剣・言・災・存・美

4 次の――線のカタカナを漢字に直せ。

1 都心部への通勤ケンナイに住む。

2 古来の伝統をケイショウする。

3 駅前にスウケンの飲食店が並ぶ。

4 ピストルの弾《たま》が標的をウちぬく。

5 ケンドウのけいこに熱中する。

6 港はソウゲイの人で混雑した。

7 大は小をカねるという。

8 父親のカタグルマに子が喜ぶ。

9 ノキシタにツバメが巣をかける。

10 引きツぎの期間が必要だ。

11 シャゲキの競技大会で入賞した。

12 古代のツルギが展示されていた。

13 私の実家はケンギョウ農家だ。

14 客をおムカえする準備を始める。

15 冷たい飲み物がホしい。

16 巨大メイロで半日楽しんだ。

17 出かけたきりユクエ知れずだ。

18 わが校では音楽活動がサカんだ。

19 市政のサッシンを断行した。

20 冬はジュヒョウで有名な山だ。

21 一学期のシュウギョウ式に出る。

22 会社のシュウギョウ規則に従う。

23 電車のつりカワを握る。

24 リンゴをカワごとかじった。

温故知新（おんこちしん）

孔子《こうし》の「論語」の中の言葉で、「昔のことや、すでに学んだことを復習して、そこからさらに新しい知識や道理を発見すること」という意味です。「温故」を「温古」などと書き誤らないようにしましょう。

例 常に温故知新の気持ちで学ぶ。

ステップ 11

漢字	読み	画数	部首	部首名	漢字の意味	用例	筆順
堅	音 ケン 訓 かた(い)	12	土	つち	こわれにくい・しっかりしている・かたい	堅固《けんご》・堅持《けんじ》・堅実《けんじつ》・中堅《ちゅうけん》・堅苦《かたくる》しい・手堅《てがた》い	
遣	音 ケン 訓 つか(う) つか(わす)	13	⻌	しんにょう しんにゅう	行かせる・さしむける・追いやる	遣外《けんがい》・遣唐使《けんとうし》・先遣隊《せんけんたい》・派遣《はけん》・分遣《ぶんけん》・気遣《きづか》い・小遣《こづか》い	
玄	音 ゲン 訓 —	5	玄	げん	くろい・奥深い・天の別名	玄関《げんかん》・玄武岩《げんぶがん》・玄米《げんまい》・幽玄《ゆうげん》・玄人《くろうと》	
枯	音 コ 訓 か(れる) か(らす)	9	木	きへん	かれる・水分がなくなる・おとろえる	枯朽《こきゅう》・枯死《こし》・枯淡《こたん》・栄枯《えいこ》・枯《か》れ枝《えだ》・枯《か》れ野《の》・木枯《こが》らし	
誇	音 コ 訓 ほこ(る)	13	言	ごんべん	大げさにいう・じまんする・ほこり	誇示《こじ》・誇称《こしょう》・誇大《こだい》・誇張《こちょう》・誇《ほこ》りを持《も》つ	
鼓	音 コ 訓 つづみ 高	13	鼓	つづみ	つづみ・たたく・はげます	鼓吹《こすい》・鼓笛《こてき》・鼓動《こどう》・鼓舞《こぶ》・太鼓《たいこ》・小鼓《こつづみ》	
互	音 ゴ 訓 たが(い)	4	二	に	おたがいに・いりみだれる	互角《ごかく》・互恵《ごけい》・互助《ごじょ》・互選《ごせん》・交互《こうご》・相互《そうご》・互《たが》い違《ちが》い	
抗	音 コウ 訓 —	7	扌	てへん	さからう・はむかう・ふせぐ	抗議《こうぎ》・抗戦《こうせん》・抗争《こうそう》・抗体《こうたい》・抗力《こうりょく》・対抗《たいこう》・抵抗《ていこう》・反抗《はんこう》	

ステップ 11

練習問題

1	/24
2	/5
3	/10
4	/24

月　日

1 次の――線の漢字の読みをひらがなで記せ。

1 政党内の抗争が激化した。

2 自然豊かな故郷を誇りに思う。

3 中堅の社員が新人を指導する。

4 これは相互に関連する事件だ。

5 先遣隊のメンバーに選ばれた。

6 もうすぐ木枯らしがふく季節だ。

7 玄米食は健康によいといわれる。

8 祭りの太鼓の音が聞こえてくる。

9 なかなか手堅い仕事をする人だ。

10 学級対抗リレーが始まった。

11 誇大広告にまどわされるな。

12 関係各国へ使者を遣わす。

13 最後まで互角にわたり合った。

14 枯死寸前の老木がよみがえった。

15 紅白の旗を互い違いに並べる。

16 話が誇張されて伝わった。

17 お気遣いはご無用に願います。

18 カラスが枯れ枝にとまった。

19 何事も深刻には考えない性分だ。

20 極めて優れた研究者であった。

21 会社の業績は低迷している。

22 だれの仕業か見当はついている。

23 箱に真紅のリボンをかける。

24 鏡を見ながら口紅をつける。

2 1〜5の三つの□に共通する漢字を入れて熟語を作れ。漢字はア〜コから一つ選び、記号で記せ。

1 □本・□力・失□ （　　）

2 □法・差□・□和感 （　　）

3 一□・□境・□状 （　　）

4 □性・日□・□気 （　　）

5 □助・□入・一□ （　　）

ア 陰　イ 片　ウ 環　エ 脚　オ 存
カ 宗　キ 介　ク 捨　ケ 違　コ 遺

3 次の漢字が下の（　）に入る漢字を修飾《しゅうしょく》するよう、後の□の中から選び、熟語を作れ。

1 厳（　　）

2 追（　　）

3 歓（　　）

4 誇（　　）

5 戦（　　）

6 乾（　　）

7 堅（　　）

8 晩（　　）

9 偉（　　）

10 奇（　　）

縁・季・況・迎・業・禁・撃・示・持・成

4 次の——線のカタカナを漢字に直せ。

1 国境をはさみ勢力をコジし合う。
2 おコヅカいで洋服を買った。
3 手塩にかけた植木をカらした。
4 会議の司会をコウゴに務める。
5 カタクルしい空気がただよう。
6 小包をゲンカン先で受け取る。
7 心臓のコドウが聞こえるようだ。
8 私の母校は百年の歴史をホコる。
9 日本からも救援隊をハケンした。
10 エイコ盛衰《せいすい》は世の習いだ。
11 タガいの苦労を分かち合う。
12 ケンジツな暮らしぶりだ。

13 試合の判定にコウギする。
14 馬がアバれて行列が乱れた。
15 最近、味のコノみが変わった。
16 ムクわれることの少ない仕事だ。
17 財産分配についてユイゴンする。
18 事件については口をトざした。
19 コクルイの値段が上がっている。
20 事実のゴニンが疑われる。
21 校庭を市民にカイホウする。
22 仕事からやっとカイホウされた。
23 野山をカけめぐって遊んだ。
24 月が次第《しだい》にカけていく。

使い分けよう！ **つくる【作・造・創】**

作る…例 米を作る　規約を作る（おもに小さいもの）
造る…例 船を造る　酒を造る（大きいもの、工業的なもの）
創る…例 文化を創る（独創的なもの）

漢字	読み	画数	部首	部首名	漢字の意味	用例	筆順
攻	音 コウ 訓 せ(める)	7	攵	のぶん ぼくづくり	せめる・おさめる・研究する	攻撃《こうげき》・攻守《こうしゅ》・攻勢《こうせい》・攻防《こうぼう》・攻略《こうりゃく》・専攻《せんこう》・速攻《そっこう》・猛攻《もうこう》	攻 攻 攻 攻 攻 攻 攻
更	音 コウ 訓 さら ふ(ける) 高 ふ(かす) 高	7	曰	ひらび いわく	あたらしくなる・入れかわる・夜の一部分	更衣《こうい》・更改《こうかい》・更新《こうしん》・更生《こうせい》・更迭《こうてつ》・深更《しんこう》・変更《へんこう》・夜更《よふ》け	更 更 更 更 更 更 更
恒	音 コウ 訓 —	9	忄	りっしんべん	いつもかわらない	恒温《こうおん》・恒久《こうきゅう》・恒常《こうじょう》・恒心《こうしん》・恒星《こうせい》・恒例《こうれい》	恒 恒 恒 恒 恒 恒 恒 恒 恒
荒	音 コウ 訓 あら(い) あ(れる) あ(らす)	9	++	くさかんむり	あれる・あれはてる・とりとめがない	荒城《こうじょう》・荒天《こうてん》・荒廃《こうはい》・荒野《こうや》・荒涼《こうりょう》・破天荒《はてんこう》・荒波《あらなみ》・荒《あ》れ地《ち》	荒 荒 荒 荒 荒 荒 荒 荒 荒
香	音 コウ キョウ 高 訓 か かお(り) かお(る)	9	香	か かおり	よいにおい・よいにおいを出すもの	香気《こうき》・香水《こうすい》・香典《こうでん》・香料《こうりょう》・香車《きょうしゃ》・線香《せんこう》・色香《いろか》・香《こう》ばしい	香 香 香 香 香 香 香 香 香
項	音 コウ 訓 —	12	頁	おおがい	小さく分けた一つ一つのことがら	項目《こうもく》・事項《じこう》・条項《じょうこう》・別項《べっこう》・要項《ようこう》	項 項 項 項 項 項 項 項10 項 項
稿	音 コウ 訓 —	15	禾	のぎへん	文章などを書きしるしたもの	稿料《こうりょう》・遺稿《いこう》・起稿《きこう》・寄稿《きこう》・原稿《げんこう》・草稿《そうこう》・脱稿《だっこう》・投稿《とうこう》	稿2 稿 稿5 稿7 稿 稿 稿 稿 稿 稿15
豪	音 ゴウ 訓 —	14	豕	ぶた いのこ	すぐれる・すぐれた人・つよい・すごい	豪雨《ごうう》・豪華《ごうか》・豪快《ごうかい》・豪勢《ごうせい》・強豪《きょうごう》・剣豪《けんごう》・富豪《ふごう》・文豪《ぶんごう》	豪2 豪5 豪7 豪 豪 豪 豪 豪 豪 豪

ステップ 12 練習問題

1	/24
2	/10
3	/10
4	/24

月　日

1 次の——線の漢字の読みをひらがなで記せ。

1 剣豪を主人公にした小説だ。
2 弁護士を志して法学を専攻する。
3 気性の荒い犬にほえられた。
4 郷土が生んだ文豪として有名だ。
5 恒星の位置によって方角を知る。
6 更に努力することを約束した。
7 街頭演説の草稿を書き起こす。
8 大学入学試験の要項を発表する。
9 コーヒーが豊かに香っている。
10 荒天のため出漁を見合わせた。
11 人類の恒久の平和を願っている。
12 思い切って攻めの作戦に転じた。
13 会場に豪勢な料理が運ばれた。
14 更衣室は体育館の裏にある。
15 台風が近づいて海が荒れる。
16 新聞に短歌を投稿した。
17 香料を使っていないお菓子だ。
18 率先して雑用を引き受ける。
19 バラの花が高貴な香りを放つ。
20 部屋にお香をたいて客を迎える。
21 就職祝いに万年筆をもらった。
22 新しい課で重要なポストに就く。
23 展覧会は盛況を極めた。
24 盛んな声援が選手に送られた。

2

次の（　）内に入る漢字を、後の[　]の中から選び、四字熟語を完成せよ。

1 （　）刀直入

2 難（　）不落

3 自力（　）生

4 才色（　）備

5 意志（　）固

6 （　）今東西

7 不可（　）力

8 自（　）自足

9 故事来（　）

10 起（　）回生

給・兼・堅・古・抗・攻・更・死・単・歴

3

次の――線のところにあてはまる送りがなをひらがなで記せ。

〈例〉意見を述――。（べる）

1 行方不明者の安否を気遣――。（　）

2 海外支店へ多数の社員を遣――。（　）

3 真夏日の太陽がやっと傾――た。（　）

4 父の忠告に耳を傾――た。（　）

5 友との実力の差が狭――てきた。（　）

6 可能性を狭――てはいけない。（　）

7 名木がついに枯――時がきた。（　）

8 薬をまいて雑草を枯――。（　）

9 手品師の奇術に驚――た。（　）

10 そっと近寄り弟を驚――。（　）

4 次の――線のカタカナを漢字に直せ。

1 次は優勝すると**ゴウゴ**している。
2 一気に敵を**コウリャク**する。
3 客を**カオ**り高い紅茶でもてなす。
4 会員証の**コウシン**を済ませた。
5 卒業文集の**ゲンコウ**を書く。
6 事を**アラダ**てないようにしたい。
7 遠足は毎年秋の**コウレイ**行事だ。
8 禁止**ジョウコウ**にふれる行為だ。
9 木の**カ**ただよう新築の家だ。
10 **ハテンコウ**な試みを実行に移す。
11 堅い守りに城を**セ**めあぐねた。
12 **サラ**に十年の月日が流れた。

13 先祖の墓前に**センコウ**を供える。
14 イノシシが畑を**ア**らして困る。
15 薬の**コウカ**が現れて熱が下がる。
16 姉は**コウフン**すると早口になる。
17 出発に間に合うか**アヤ**ぶまれる。
18 正月に家族で書き**ゾ**めをした。
19 手**ミヤゲ**を持って訪問する。
20 在庫の**ウム**を問い合わせる。
21 受験の**ココロガマ**えができた。
22 勉強会の**コウシ**として招かれた。
23 実は**イゼン**から気になっていた。
24 名画は**イゼン**として行方不明だ。

使い分けよう！ **たいせい【体制・態勢・体勢】**

体制…例 資本主義体制　非常体制　（全体のしくみ）
態勢…例 出動態勢　協力態勢　（特定の物事への身構え）
体勢…例 有利な体勢　くずれた体勢　（体の構え・姿勢）

総得点　／100

評価

A
80点 B
75点 C
70点 D
60点 E

月　日

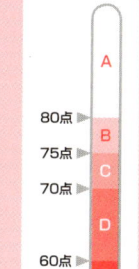

1 次の——線の漢字の読みをひらがなで記せ。

1×10　／10

1 果物の甘い香気が部屋に満ちる。（　）
2 二人三脚で苦難を乗り越えた。（　）
3 退屈しのぎにテレビを見る。（　）
4 なだらかな丘の上で休む。（　）
5 中堅社員向けの研修を行う。（　）
6 新型の四輪駆動車が発売された。（　）
7 無実の叫びが裁判で認められた。（　）
8 御者が馬車のとびらを閉めた。（　）
9 胸の鼓動が高鳴った。（　）
10 車が入らない狭い路地で遊ぶ。（　）

2 次の漢字の部首をア～エから一つ選び、記号で記せ。

1×10　／10

1 稿（ア冂　イ高　ウ亠　エ禾）（　）
2 剣（ア𠆢　イ刂　ウ亅　エ人）（　）
3 御（ア卩　イ缶　ウ彳　エ止）（　）
4 驚（ア艹　イ勹　ウ攵　エ馬）（　）
5 撃（ア車　イ殳　ウ手　エ几）（　）
6 肩（ア肉　イ戸　ウ一　エ尸）（　）
7 屈（ア屮　イ尸　ウ山　エ厂）（　）
8 香（ア禾　イ曰　ウノ　エ香）（　）
9 傾（ア匕　イ頁　ウ亻　エハ）（　）
10 誇（ア言　イ大　ウ弓　エ亠）（　）

3

次の――線のカタカナを漢字一字と送りがな（ひらがな）に直せ。

〈例〉問題に**コタエル**。（答える）

1×10　／10

1 木箱に高級なビワを**ツメル**。（　　）

2 **クルオシイ**気持ちを書き記す。（　　）

3 空を**アオグ**と雲が流れていた。（　　）

4 **アツカマシイ**言動にあきれる。（　　）

5 自然の**メグミ**が豊かな土地だ。（　　）

6 職場に新人を**ムカエル**。（　　）

7 湖面を**キヨラカナ**月光が照らす。（　　）

8 週末は天気が**アレル**ようだ。（　　）

9 興奮を**サマシ**てから話し合おう。（　　）

10 **ココロヨク**引き受けてくれた。（　　）

4

1～5の三つの□に共通する漢字を入れて熟語を作れ。漢字はア～コから一つ選び、記号で記せ。

2×5　／10

1 □衣・変□・□新（　　）

2 影□・音□・反□（　　）

3 □客・□術・刀□（　　）

4 □示・□張・□大（　　）

5 根□・論□・□点（　　）

ア 更　イ 響　ウ 固　エ 現　オ 剣
カ 恒　キ 誇　ク 拠　ケ 枯　コ 沢

5

熟語の構成のしかたには次のようなものがある。

1×10　／10

ア　同じような意味の漢字を重ねたもの　（岩石）
イ　反対または対応の意味を表す字を重ねたもの　（高低）
ウ　上の字が下の字を修飾《しゅうしょく》しているもの　（洋画）
エ　下の字が上の字の目的語・補語になっているもの　（着席）
オ　上の字が下の字の意味を打ち消しているもの　（非常）

次の熟語は右のア～オのどれにあたるか、一つ選び、記号で記せ。

1　握力（　　）
2　無為（　　）
3　香水（　　）
4　比較（　　）
5　近況（　　）
6　出荷（　　）
7　功罪（　　）
8　恒常（　　）
9　納税（　　）
10　存亡（　　）

6

後の［　］内のひらがなを漢字に直して（　）に入れ、対義語・類義語を作れ。［　］内のひらがなは一度だけ使い、漢字一字を記せ。

1×10　／10

対義語

1　豊作―（　　）作
2　中止―（　　）続
3　進撃―退（　　）
4　縮小―（　　）大
5　新鋭―古（　　）

類義語

6　造営―建（　　）
7　始末―（　　）理
8　同意―（　　）成
9　対等―（　　）角
10　修理―（　　）修

かく・きゃく・きょう・けい・ご・ごう・さん・しょ・ちく・ほ

7

次の（　）内に入る適切な語を、後の［　］の中から選び、漢字に直して四字熟語を完成せよ。

2×10　／20

1 牛（　）馬食（　）
2 知勇（　）備（　）
3 （　）面仏心（　）
4 一病息（　）（　）
5 無理算（　）（　）
6 問答無（　）（　）
7 明（　）止水（　）
8 同工（　）曲（　）
9 晴（　）雨読（　）
10 頭寒（　）熱（　）

い・いん・き・きょう・けん・こう・さい・そく・だん・よう

8

次の――線のカタカナを漢字に直せ。

2×10　／20

1 **コクモツ**の供給は安定している。（　）
2 高校で**エンゲキ**部に所属する。（　）
3 遠**キョ**離《り》通学を三年間続けた。（　）
4 発芽**ゲンマイ**をたいて食べる。（　）
5 今や**ゲイノウ**界の大スターだ。（　）
6 工事中のため**カタガワ**通行だ。（　）
7 資金のやり**ク**りに追われる。（　）
8 食料品は**ノキナ**み値上がりした。（　）
9 人に**キガイ**を加える動物ではない。（　）
10 日本は漢字**ブンカケン**に属する。（　）

漢字	読み	画数	部首	部首名	漢字の意味	用例
込	音 ——　訓 こ(む)　こ(める)	5	辶	しんにょう　しんにゅう	こめる・こもる・手数がかかる	意気込《いきご》み・思《おも》い込《こ》み・駆《か》け込《こ》み・仕込《しこ》み・見込《みこ》み
婚	音 コン　訓 ——	11	女	おんなへん	夫婦になる	婚期《こんき》・婚儀《こんぎ》・婚約《こんやく》・婚礼《こんれい》・求婚《きゅうこん》・結婚《けっこん》・新婚《しんこん》・未婚《みこん》
鎖	音 サ　訓 くさり	18	金	かねへん	くさり・つなぐ・とざす	鎖国《さこく》・鎖骨《さこつ》・鉄鎖《てっさ》・封鎖《ふうさ》・閉鎖《へいさ》・連鎖《れんさ》・鎖編《くさりあ》み
彩	音 サイ　訓 いろど(る) 高	11	彡	さんづくり	色をつける・美しいいろどり・つや	彩雲《さいうん》・異彩《いさい》・光彩《こうさい》・色彩《しきさい》・水彩画《すいさいが》・精彩《せいさい》・多彩《たさい》・淡彩《たんさい》
歳	音 サイ　セイ　訓 ——	13	止	とめる	としつき・一年間・年齢《ねんれい》を数えることば	歳月《さいげつ》・歳時《さいじ》・歳出《さいしゅつ》・歳入《さいにゅう》・歳費《さいひ》・歳末《さいまつ》・歳暮《せいぼ》・二十歳《はたち》
載	音 サイ　訓 の(せる)　の(る)	13	車	くるま	のせる・しるす・上に積む・とし	載録《さいろく》・記載《きさい》・掲載《けいさい》・積載《せきさい》・転載《てんさい》・満載《まんさい》・連載《れんさい》
剤	音 ザイ　訓 ——	10	刂	りっとう	くすり・くすりを調合する	下剤《げざい》・殺虫剤《さっちゅうざい》・錠剤《じょうざい》・洗剤《せんざい》・調剤《ちょうざい》・防腐剤《ぼうふざい》・薬剤《やくざい》
咲	音 ——　訓 さ(く)	9	口	くちへん	花のつぼみがひらく	遅咲《おそざ》き・返《かえ》り咲《ざ》き・七分咲《しちぶざ》き・早咲《はやざ》き・室咲《むろざ》き

ステップ 13

練習問題

1	/24
2	/10
3	/9
4	/24

月　日

1 次の――線の漢字の読みをひらがなで記せ。

1 あふれる思いを込めて歌った。
2 早咲きのバラが満開となった。
3 新人の中でも異彩を放っている。
4 手の込んだ細工をほどこす。
5 合格者の名前が会誌に載る。
6 私の両親は銀婚式を迎えた。
7 街は歳末セールで混雑している。
8 今こそ因習の鎖をたち切る時だ。
9 雑誌に連載中のコラムが好評だ。
10 野原にコスモスが咲き乱れる。
11 最近は未婚の男女が増えている。
12 薬剤師を目指して大学に入った。
13 今年度は好景気で歳入が増えた。
14 地元の遊園地が閉鎖された。
15 新作の春物の服が入荷される。
16 極上のスープに舌鼓《したつづみ》を打つ。
17 食物連鎖のバランスが保たれる。
18 車庫の鎖を外して車を入れる。
19 貨物を積載して船が出港した。
20 新聞に新作映画の広告を載せる。
21 毎朝欠かさず牛乳を飲んでいる。
22 当時の私はまだ乳飲み子だった。
23 新たな火星探査機を開発中だ。
24 解決の糸口を探っている。

2 次の漢字の部首をア〜エから一つ選び、記号で記せ。

1 豪（ア 亠　イ 口　ウ 冖　エ 豕）
2 兼（ア 十　イ 八　ウ 丨　エ 一）
3 彩（ア 爫　イ 釆　ウ 彡　エ 木）
4 堅（ア 臣　イ 又　ウ 二　エ 土）
5 歳（ア 止　イ 厂　ウ 小　エ 戈）
6 載（ア 土　イ 一　ウ 車　エ 戈）
7 剤（ア 亠　イ 文　ウ 斉　エ 刂）
8 互（ア 一　イ 二　ウ 口　エ 工）
9 鼓（ア 士　イ 口　ウ 支　エ 鼓）
10 玄（ア 丶　イ 亠　ウ 幺　エ 玄）

3 次の——線のカタカナにあてはまる漢字をそれぞれのア〜オから一つ選び、記号で記せ。

1 **コ**笛隊を先頭にパレードが進む。
2 **コ**張された情報が報道された。
3 論より証**コ**ということわざがある。
（ア 故　イ 鼓　ウ 誇　エ 枯　オ 拠）

4 祭りで**ケイ**内がにぎわっている。
5 自然から多くの恩**ケイ**を受ける。
6 最近の消費者の**ケイ**向を調べる。
（ア 敬　イ 恵　ウ 継　エ 境　オ 傾）

7 自宅の庭の雑草を**カ**った。
8 全速力で馬を**カ**って追いかけた。
9 大輪のキクが**カ**れてしまった。
（ア 駆　イ 借　ウ 刈　エ 枯　オ 兼）

4

次の——線のカタカナを漢字に直せ。

1 機関紙に母校の写真が**ノ**った。

2 同級生と世間話に花を**サ**かせる。

3 転倒《てんとう》して**サコツ**を折った。

4 秋の木の葉は**シキサイ**が豊かだ。

5 汚れのよく落ちる**センザイ**だ。

6 思い**コ**みからミスが生じた。

7 二十余年の**サイゲツ**が流れる。

8 二人の**シンコン**生活が始まった。

9 書類の**キサイ**事項を確かめる。

10 犬が**クサリ**でつながれている。

11 新商品が**ミコ**み以上に売れた。

12 大雨で大きな**サイガイ**が起きた。

13 筆箱の中身が**チ**らばる。

14 実力が**タメ**される時が来た。

15 準備不足を**ニンシキ**させられた。

16 今も親しい**オサナトモダチ**だ。

17 とっさの行動が功を**ソウ**した。

18 **コウサツ**力を要する問題である。

19 事故防止の**タイサク**を考える。

20 **クトウ**点の打ち方を見直す。

21 学級**タイコウ**リレーに出る。

22 **タイコウ**車線の車に注意する。

23 学芸会で**カゲ**絵劇を上演した。

24 いつも**カゲ**口《ぐち》をたたく人だ。

昼夜兼行（ちゅうやけんこう）

「昼と夜の区別なく続けて物事を行うこと」という意味の四字熟語。「兼行」には昼も夜も休まず道を急いで一日の行程を二倍にする、またそのように急いで仕事をする、という意味があります。似た意味の四字熟語として、「不眠《ふみん》不休」などがあります。

ステップ 14

漢字	読み	画数	部首	部首名	漢字の意味	用例	筆順
惨	音 サン・ザン 高 訓 みじ(め) 高	11	忄	りっしんべん	いたましい・むごい	惨劇《さんげき》・惨事《さんじ》・惨状《さんじょう》・惨殺《ざんさつ》・惨敗《ざんぱい》《さんぱい》・陰惨《いんさん》・悲惨《ひさん》・無惨《むざん》	11
旨	音 シ 訓 むね 高	6	日	ひ	考えの内容・うまい・むね	主旨《しゅし》・趣旨《しゅし》・本旨《ほんし》・要旨《ようし》・論旨《ろんし》	
伺	音 シ 高 訓 うかが(う)	7	亻	にんべん	ようすをたずねる・そば近くつかえる	伺候《しこう》・進退伺《しんたいうかが》い・お宅《たく》へ伺《うかが》う	
刺	音 シ 訓 さ(す)・さ(さる)	8	刂	りっとう	さす・とげ・ちくりとさせる・名ふだ	刺客《しかく》・刺激《しげき》・風刺《ふうし》・名刺《めいし》・有刺鉄線《ゆうしてっせん》・くぎを刺《さ》す	
脂	音 シ 訓 あぶら	10	月	にくづき	動物性のあぶら・やに・化粧《けしょう》用のべに	脂質《ししつ》・脂粉《しふん》・脂肪《しぼう》・樹脂《じゅし》・脱脂《だっし》・油脂《ゆし》・脂汗《あぶらあせ》	
紫	音 シ 訓 むらさき	12	糸	いと	むらさき・赤と青の中間色	紫衣《しい》・紫雲《しうん》・紫煙《しえん》・紫外線《しがいせん》・紫紺《しこん》・紫電《しでん》・紫色《むらさきいろ》・赤紫《あかむらさき》	4, 12
雌	音 シ 訓 め・めす	14	隹	ふるとり	めす・弱いもの	雌伏《しふく》・雌雄《しゆう》・雌株《めかぶ》・雌《め》しべ・雌花《めばな》・雌犬《めすいぬ》	8, 4, 14
執	音 シツ・シュウ 訓 と(る)	11	土	つち	あつかう・とらわれる	執行《しっこう》・執刀《しっとう》・執筆《しっぴつ》・執務《しつむ》・執着《しゅうちゃく》《しゅうじゃく》・執念《しゅうねん》・確執《かくしつ》・固執《こしつ》《こしゅう》	7

ステップ 14

練習問題

1	/24
2	/10
3	/10
4	/24

月　日

1 次の——線の漢字の読みをひらがなで記せ。

1 争いは悲惨な結果に終わった。
2 手術は主治医の執刀で行われた。
3 新しい担当者に名刺をわたす。
4 イチョウの雌株を観察する。
5 講演の要旨を四百字でまとめる。
6 脂の乗ったサンマを食べた。
7 室内に紫煙が立ち込めている。
8 警察が惨事の原因を調査する。
9 ぜひ皆様のご意見を伺いたい。
10 新製品の開発に執念を燃やす。

11 合成樹脂を扱う専門商社だ。
12 バラのとげが指に刺さる。
13 姉夫婦は雌の子犬を育てている。
14 アサガオが赤紫の花をつける。
15 新聞の連載小説を執筆する。
16 この一戦で雌雄《ゆう》を決する。
17 八十周年記念の式典を執り行う。
18 身支度を整えて食事に出かける。
19 世相への風刺を込めた戯画だ。
20 虫に刺されたあとがはれ上がる。
21 夜空に輝く星座を観測する。
22 ソファーに座ってくつろぐ。
23 貿易統計のデータを参照する。
24 易しい問題から始めよう。

2 次の（　）内に入る適切な語を、後の□の中から選び、漢字に直して四字熟語を完成せよ。

1 暗雲低（　　）
2 連（　　）反応
3 論（　　）明快
4 （　　）信回復
5 要害（　　）固
6 一部始（　　）
7 （　　）久平和
8 喜色（　　）面
9 急（　　）直下
10 一心不（　　）

い・けん・こう・さ・し・じゅう・てん・まん・めい・らん

---

3 次の漢字と反対または対応する意味を表す漢字を、後の□の中から選んで（　）に入れ、熟語を作れ。

1 単（　　）
2 取（　　）
3 集（　　）
4 （　　）無
5 送（　　）
6 難（　　）
7 収（　　）
8 栄（　　）
9 干（　　）
10 （　　）守

易・迎・枯・攻・散・支・捨・複・満・有

4 次の――線のカタカナを漢字に直せ。

1 夕雲が**ムラサキイロ**に染まる。
2 三人の社員が事務を**ト**っている。
3 動植物の**ユシ**から石けんを作る。
4 交流会は実に**シゲキテキ**だった。
5 **ロンシ**が明快で理解しやすい。
6 **メス**のネコが居着いてしまった。
7 先生のお宅へ**ウカガ**うつもりだ。
8 夏の日差しは**シガイセン**が強い。
9 物への**シュウチャク**を捨てる。
10 額に**アブラアセ**がにじんだ。
11 厳しい言葉が胸につき**サ**さった。
12 **メバナ**の下に小さな実がついた。
13 事故の**サンジョウ**が伝えられた。
14 会の**シッコウ**委員に選ばれた。
15 夕方になり**シオ**が満ちてくる。
16 事実を**シメ**して説得する。
17 負け**イクサ**はしない主義です。
18 見上げた**コンジョウ**の持ち主だ。
19 朝日を浴びて**シンコキュウ**した。
20 体育では**ジキュウソウ**が得意だ。
21 相手にとって**フソク**はない。
22 **フソク**の事態におちいった。
23 誠実な友人を委員長に**オ**す。
24 がんばってこいと背中を**オ**す。

使い分けよう！ **さす【差・指・刺】**
差す…例 かさを差す 光が差す （かざす・さしはさむ）
指す…例 目的地を指す 針が北を指す （それだと定めて示す）
刺す…例 くぎを刺す 刀で刺す 舌を刺す味 （つき通す）

漢字	読み	画数	部首	部首名	漢字の意味	用例	筆順
芝	音 —— 訓 しば	6	艹	くさかんむり	しば・イネ科の多年草	芝居《しばい》・芝刈《しばか》り・芝草《しばくさ》・芝山《しばやま》・人工芝《じんこうしば》・芝生《しばふ》	芝
斜	音 シャ 訓 なな(め)	11	斗	とます	ななめ	斜線《しゃせん》・斜塔《しゃとう》・斜面《しゃめん》・斜陽《しゃよう》・傾斜《けいしゃ》・ごきげん斜《なな》め	斜 (4)
煮	音 シャ 高 訓 に(る) に(える) に(やす)	12	灬	れんが れっか	にる・にえる	煮沸《しゃふつ》・煮豆《にまめ》・煮物《にもの》・煮《に》え湯《ゆ》・雑煮《ぞうに》・生煮《なまに》え・業《ごう》を煮《に》やす	煮 (12)
釈	音 シャク 訓 ——	11	釆	のごめへん	ときあかす・言いわけをする・ゆるす	釈然《しゃくぜん》・釈放《しゃくほう》・釈明《しゃくめい》・会釈《えしゃく》・解釈《かいしゃく》・講釈《こうしゃく》・注釈《ちゅうしゃく》・保釈《ほしゃく》	釈 (7)
寂	音 ジャク セキ 高 訓 さび さび(しい) さび(れる)	11	宀	うかんむり	しずかでさびしい・僧《そう》が死ぬこと	寂寂《じゃくじゃく》《せきせき》・寂滅《じゃくめつ》・寂然《せきぜん》《じゃくねん》・静寂《せいじゃく》・入寂《にゅうじゃく》・和敬清寂《わけいせいじゃく》・店《みせ》が寂《さび》れる	寂 (9)
朱	音 シュ 訓 ——	6	木	き	だいだい色がかった赤	朱色《しゅいろ》・朱印《しゅいん》・朱肉《しゅにく》・朱筆《しゅひつ》・丹朱《たんしゅ》	朱
狩	音 シュ 訓 か(る) か(り)	9	犭	けものへん	かりをする	狩猟《しゅりょう》・紅葉狩《もみじが》り	狩
趣	音 シュ 訓 おもむき	15	走	そうにょう	しみじみとした味わい・考え・好み	趣意《しゅい》・趣向《しゅこう》・趣旨《しゅし》・趣味《しゅみ》・興趣《きょうしゅ》・情趣《じょうしゅ》・野趣《やしゅ》	趣 (3, 12, 15)

ステップ 15

練習問題

1 /24
2 /5
3 /9
4 /24

月　日

1 次の――線の漢字の読みをひらがなで記せ。

1 公園の芝生で弁当を食べた。
2 セミの声が朝の静寂を破った。
3 雪国では傾斜の急な屋根が多い。
4 異国的な趣のある町並みだ。
5 朱の鳥居をくぐって参道に入る。
6 おいしそうな煮豆を小皿に取る。
7 人口が減り、村は寂れる一方だ。
8 疑いが解けて釈放される。
9 父が新しい芝刈り機を買った。
10 昔は狩猟《りょう》と採集の生活だった。

11 机の上に印鑑と朱肉を用意する。
12 窓から斜めに太陽の光が差した。
13 文化祭の出し物に趣向をこらす。
14 夜には人も通らない寂しい道だ。
15 記者会見を開いて釈明する。
16 相手の態度に業《ごう》を煮やした。
17 キツネを狩って生計を立てた。
18 窓ガラスの破片が飛び散った。
19 イタリアのピサの斜塔《とう》を訪れる。
20 ネコが道を斜めに横切っている。
21 最初に会合の趣旨を説明する。
22 一輪の花が趣をそえている。
23 確たる自信があるわけではない。
24 不明な言葉を辞書で確かめる。

2 1～5の三つの□に共通する漢字を入れて熟語を作れ。漢字はア～コから一つ選び、記号で記せ。

1 □念・固□・□務

2 要□・論□・本□

3 解□・講□・□然

4 □線・□面・□陽

5 情□・□意・□味

ア 煮　イ 寂　ウ 趣　エ 執　オ 朱
カ 斜　キ 釈　ク 旨　ケ 為　コ 狩

3 次の――線のカタカナにあてはまる漢字をそれぞれのア～オから一つ選び、記号で記せ。

1 **シ**外線の健康への影響を考える。

2 環境保全を主**シ**とした講演だった。

3 会議で初対面の人に名**シ**をわたす。

（ア 紫　イ 氏　ウ 旨　エ 刺　オ 仕）

4 **サイ**時記で夏の季語を調べる。

5 旅の情報が満**サイ**された雑誌だ。

6 会には多**サイ**な顔ぶれがそろった。

（ア 彩　イ 載　ウ 歳　エ 切　オ 再）

7 スーツケースに荷物を**ツ**め込んだ。

8 定職に**ツ**いて両親を安心させる。

9 土器のかけらを**ツ**ぎ合わせる。

（ア 連　イ 継　ウ 積　エ 詰　オ 就）

4 次の——線のカタカナを漢字に直せ。

1 妹は朝からごきげん**ナナ**めだ。

2 **ゾウニ**にもちを三つ入れた。

3 庭は秋の**オモムキ**が深まった。

4 卒業が近づき**サビ**しく感じる。

5 家族でイチゴ**ガ**りに出かける。

6 **シュイロ**がはえた美しい建物だ。

7 山の**シャメン**に宅地を造成する。

8 **ニ**え湯を飲まされた思いだ。

9 私の**シュミ**は切手の収集だ。

10 **ジャクジャク**として人影もない。

11 示し合わせてひと**シバイ**打った。

12 難解な語に**チュウシャク**を付す。

13 委員会の提言に**シタガ**う。

14 **サトウ**を少なめにして調理する。

15 失敗して思わず**シタ**打ちした。

16 早起きの**シュウカン**をつける。

17 結婚した二人を**シュクフク**する。

18 感動して**メガシラ**が熱くなった。

19 政局は**コンメイ**を極めている。

20 年末年始は**イナカ**に帰る予定だ。

21 大学では心理学を**センコウ**した。

22 書類**センコウ**を通過した。

23 火に**アブラ**を注ぐ結果となった。

24 演技に**アブラ**が乗ってきた。

「言」と「言」は違う?

検定では、教科書体（言）を手本にして書くことが基本ですが、書体によって字形に相違が見られるものがあります。「言・言・言」「令・令」などは、デザインの違いであって、字体の違いとは見なしません。検定ではいずれも正解になります。

漢字	需	舟	秀	襲	柔	獣	瞬	旬
読み	音 ジュ 訓 ―	音 シュウ 訓 ふね ふな	音 シュウ 訓 ひい(でる)高	音 シュウ 訓 おそ(う)	音 ジュウ ニュウ 訓 やわ(らか) やわ(らかい)	音 ジュウ 訓 けもの	音 シュン 訓 またた(く)高	音 ジュン シュン 訓 ―
画数	14	6	7	22	9	16	18	6
部首	雨	舟	禾	衣	木	犬	目	日
部首名	あめかんむり	ふね	のぎ	ころも	き	いぬ	めへん	ひ
漢字の意味	必要とする・もとめる	こぶね	すぐれている・ぬきんでている	不意に攻める・あとをつぐ	やわらかい・やさしい・てなずける	けもの・野生の動物	ごく短い時間	一か月のうちの十日間・野菜などのしゅん
用例	需給《じゅきゅう》・需要《じゅよう》・外需《がいじゅ》・軍需《ぐんじゅ》・実需《じつじゅ》・特需《とくじゅ》・内需《ないじゅ》・必需《ひつじゅ》	舟運《しゅううん》・舟航《しゅうこう》・呉越同舟《ごえつどうしゅう》・舟遊《ふなあそ》び・舟歌《ふなうた》・渡《わた》し舟《ぶね》	秀逸《しゅういつ》・秀歌《しゅうか》・秀才《しゅうさい》・秀作《しゅうさく》・秀抜《しゅうばつ》・優秀《ゆうしゅう》	襲撃《しゅうげき》・襲名《しゅうめい》・襲来《しゅうらい》・奇襲《きしゅう》・逆襲《ぎゃくしゅう》・空襲《くうしゅう》・世襲《せしゅう》・踏襲《とうしゅう》	柔順《じゅうじゅん》・柔道《じゅうどう》・柔軟《じゅうなん》・柔弱《にゅうじゃく》・柔和《にゅうわ》・懐柔《かいじゅう》・優柔《ゆうじゅう》	獣医《じゅうい》・獣肉《じゅうにく》・獣類《じゅうるい》・鳥獣《ちょうじゅう》・珍獣《ちんじゅう》・猛獣《もうじゅう》・野獣《やじゅう》・獣道《けものみち》	瞬間《しゅんかん》・瞬時《しゅんじ》・瞬発力《しゅんぱつりょく》・一瞬《いっしゅん》・星《ほし》が瞬《またた》く	旬刊《じゅんかん》・旬報《じゅんぽう》・初旬《しょじゅん》・上旬《じょうじゅん》・中旬《ちゅうじゅん》・旬《しゅん》の野菜《やさい》
筆順	需 需(3) 需 需(6) 需(8) 需 需 需 需 需(14)	舟 舟 舟 舟 舟 舟	秀 秀 秀 秀 秀 秀 秀	襲(5) 襲(9) 襲 襲 襲 襲 襲(16) 襲(18) 襲(20) 襲(22)	柔 柔 柔 柔 柔 柔 柔 柔 柔	獣(4) 獣 獣 獣(8) 獣 獣(12) 獣 獣 獣 獣	瞬(5) 瞬 瞬(9) 瞬(11) 瞬(13) 瞬 瞬 瞬 瞬 瞬	旬 旬 旬 旬 旬 旬

ステップ 16

練習問題

1	/24
2	/10
3	/10
4	/24

月　日

1 次の――線の漢字の読みをひらがなで記せ。

1 電力の需要が過去最高となった。
2 旬の野菜を使って料理を作る。
3 「ベニスの舟歌」をききたい。
4 寒波の襲来で作物に影響が出た。
5 赤ちゃんの柔らかい手を握る。
6 万葉の秀歌として親しまれる。
7 決定的瞬間をとらえた映像だ。
8 内需の拡大が進み景気が上向く。
9 山深い里まで獣道をたどった。
10 今月中旬には英国から帰国する。
11 湖に舟をうかべてつりをする。
12 登山中にハチの襲撃にあう。
13 もの静かで顔つきも柔和な人だ。
14 秀才が必ず大器とは限らない。
15 病気の愛犬を獣医にみてもらう。
16 昔は舟運が主な輸送手段だった。
17 銀行を襲った男がつかまった。
18 海岸の砂浜《すなはま》を素足で歩いた。
19 優柔不断で決められない。
20 客を柔らかな表情で出迎える。
21 互恵の原則で条約を結んだ。
22 いつも友人に恵まれてきた。
23 子どものころから手芸が得意だ。
24 下手の横好きという言葉がある。

2

次の各組の熟語が類義語の関係になるように、（　）に入る漢字を後の□の中から選べ。

1 文案—草（　）

2 守備—防（　）

3 地道—（　）実

4 改定—変（　）

5 理由—根（　）

6 反撃—逆（　）

7 降参—（　）服

8 永遠—（　）久

9 本気—真（　）

10 長者—富（　）

拠・御・屈・剣・堅・更・恒・稿・豪・襲

3

次の漢字と同じような意味の漢字を、後の□の中から選んで（　）に入れ、熟語を作れ。

1 積（　）

2 打（　）

3 優（　）

4 （　）固

5 （　）喜

6 強（　）

7 交（　）

8 （　）承

9 恩（　）

10 光（　）

歓・輝・恵・継・撃・堅・互・豪・載・秀

4

次の――線のカタカナを漢字に直せ。

1 **ヤワ**らかな毛布にくるまる。（　　）

2 ここは**チョウジュウ**の保護区だ。（　　）

3 トラに**オソ**われる夢を見た。（　　）

4 **ジュウドウ**で心と技をみがく。（　　）

5 事故は**イッシュン**の油断からだ。（　　）

6 生活**ヒツジュヒン**をそろえる。（　　）

7 七月**ゲジュン**から夏休みになる。（　　）

8 アラスカの氷原で**ケモノ**を追う。（　　）

9 **ユウシュウ**な成績で卒業した。（　　）

10 両軍が呉越《ごえつ》**ドウシュウ**で来た。（　　）

11 町に**クウシュウ**警報が鳴り響く。（　　）

12 **ニュウジャク**な精神をきたえる。（　　）

13 社長**シュウニン**を盛大に祝う。（　　）

14 親友を**ウラギ**ることはできない。（　　）

15 **シヤ**の広い人材を求めている。（　　）

16 **マコト**に申し訳ございません。（　　）

17 対談で作家の**スガオ**にせまる。（　　）

18 **カセツ**の住宅に入居した。（　　）

19 駅**コウナイ**の売店で雑誌を買う。（　　）

20 研究成果を**サッシ**にまとめた。（　　）

21 天地**ソウゾウ**の神話を読む。（　　）

22 あくまでも**ソウゾウ**上の動物だ。（　　）

23 夜中に何度も目が**サ**めた。（　　）

24 ふろの湯が**サ**めてしまった。（　　）

使い分けよう! **てきかく【適格・的確】**

適格…例 選手として適格だ　（必要な資格を満たしている）

的確…例 的確な指示　的確に処理する　（まちがいがない）

※「的確」は「適確」とも書く。

漢字	読み	画数	部首	部首名	漢字の意味	用例	筆順
巡	音 ジュン 訓 めぐ(る)	6	巛	かわ	ひとまわりする・各地をまわって歩く	巡回《じゅんかい》・巡業《じゅんぎょう》・巡視《じゅんし》・巡礼《じゅんれい》・巡歴《じゅんれき》・一巡《いちじゅん》・お巡《まわ》りさん	巡 巡 巡 巡 巡 巡
盾	音 ジュン 訓 たて	9	目	め	やりや矢などを防ぐ武器・たて	矛盾《むじゅん》・盾突《たてつ》く・後《うし》ろ盾《だて》	盾 盾 盾 盾 盾 盾 盾 盾 盾
召	音 ショウ 訓 め(す)	5	口	くち	上のものがよびよせる	召喚《しょうかん》・召集《しょうしゅう》・召致《しょうち》・応召《おうしょう》	召 召 召 召 召
床	音 ショウ 訓 とこ ゆか	7	广	まだれ	ねどこ・台の形をしたもの・地層・地盤《じばん》	温床《おんしょう》・起床《きしょう》・鉱床《こうしょう》・病床《びょうしょう》・床《とこ》の間《ま》・床柱《とこばしら》・床下《ゆかした》・寝床《ねどこ》	床 床 床 床 床 床 床
沼	音 ショウ 高 訓 ぬま	8	氵	さんずい	どろ深い大きな池・ぬま	沼沢《しょうたく》・湖沼《こしょう》・沼地《ぬまち》・底《そこ》なし沼《ぬま》・泥沼《どろぬま》《でいしょう》	沼 沼 沼 沼 沼 沼 沼 沼
称	音 ショウ 訓 —	10	禾	のぎへん	つりあう・名づける・ほめる	称呼《しょうこ》・称号《しょうごう》・称賛《しょうさん》・愛称《あいしょう》・敬称《けいしょう》・対称《たいしょう》・通称《つうしょう》・名称《めいしょう》	称 称 称 称 称 称 称 称 称 称
紹	音 ショウ 訓 —	11	糸	いとへん	ひきあわせる・とりもつ・つぐ	紹介《しょうかい》・紹述《しょうじゅつ》	紹 紹 紹 紹 紹6 紹 紹 紹 紹 紹
詳	音 ショウ 訓 くわ(しい)	13	言	ごんべん	くわしい・つまびらかなこと	詳解《しょうかい》・詳細《しょうさい》・詳述《しょうじゅつ》・詳報《しょうほう》・不詳《ふしょう》・未詳《みしょう》	詳2 詳4 詳6 詳 詳 詳 詳 詳 詳 詳

ステップ 17

練習問題

1	2	3	4
/24	/16	/10	/24

月　日

1 次の――線の漢字の読みをひらがなで記せ。

1 家に帰るとすぐに床に就いた。
2 昔から名人と称された人だ。
3 沼にまつわる伝説を絵本にする。
4 体操の床運動の練習をする。
5 前回の説明と矛《む》盾している。
6 親しい友人と愛称で呼び合う。
7 担当者から詳しい説明があった。
8 病床の母に花をおくる。
9 先月末に臨時国会が召集された。
10 ようやくチャンスが巡ってきた。
11 わが国の古典芸能を紹介する。
12 会いたくて矢も盾もたまらない。
13 祖父は毎朝六時に起床する。
14 勇気ある行動だと称賛された。
15 和服をお召しになっている。
16 間もなく事件の詳報が届く。
17 安全のため工事現場を巡回した。
18 大会に出られただけでも本望だ。
19 園児を引率して動物園に行く。
20 私の姉はとても心配性だ。
21 劇団が地方を巡業している。
22 池を巡る小道を散歩する。
23 犯人は身元不詳のままだ。
24 もっと詳しいことが知りたい。

2 次の（　）にそれぞれ異なる「コウ」と音読みする適切な漢字を書き入れて熟語を作れ。

1 線（　）
2 （　）績
3 （　）争
4 （　）后
5 脚（　）
6 （　）格
7 （　）久
8 草（　）

9 趣（　）
10 （　）互
11 変（　）
12 条（　）
13 （　）養
14 信（　）
15 （　）防
16 健（　）

3 次の漢字が下の（　）に入る漢字を修飾《しゅうしょく》するよう、後の□の中から選び、熟語を作れ。

1 互（　）
2 惨（　）
3 握（　）
4 敬（　）
5 斜（　）

6 瞬（　）
7 甘（　）
8 狂（　）
9 皆（　）
10 詳（　）

間・喜・述・助・称・状・味・無・面・力

4 次の——線のカタカナを漢字に直せ。

1 **トコ**の間に花を生ける。
2 アジア諸国を**メグ**る旅に出た。
3 **ショウサイ**は別紙を参照せよ。
4 **ヌマチ**にミズバショウが生える。
5 先生もすっかりお年を**メ**された。
6 春野菜を**オンショウ**で育てる。
7 友人を母に**ショウカイ**する。
8 強力な後ろ**ダテ**があると心強い。
9 旧姓《きゅうせい》を**ツウショウ**として使う。
10 祖父は野鳥の生態に**クワ**しい。
11 **ユカイタ**にワックスをかける。
12 警備員が駅構内を**ジュンシ**する。

13 遠足は雨で**ジュンエン**になった。
14 講堂の落成式に**ショウタイ**される。
15 **タビカサ**なる来訪を受けた。
16 末は**ハカセ**か大臣かと言われた。
17 事例は**マイキョ**にいとまがない。
18 **ツウカイ**な逆転勝利を収めた。
19 **ウチュウ**の神秘に思いをはせる。
20 降車駅で運賃を**セイサン**する。
21 苦労して借金を**セイサン**した。
22 身を**サ**すような寒さが続く。
23 時計の針が正午を**サ**している。
24 部屋に朝日が**サ**し込んできた。

同床異夢（どうしょういむ）
「同じ寝床《ねどこ》に寝ても、それぞれ異なった夢を見る」ということから「いっしょに同じことをしていても考え方や目的が異なること」という意味です。さらに「融和《ゆうわ》しないこと」という意味でも使います。
例　チームは同床異夢でまとまりに欠ける。

漢字	読み	画数	部首	部首名	漢字の意味	用例
丈	音 ジョウ 訓 たけ	3	一	いち	つよい・長さの単位・長老への敬称	丈尺《じょうしゃく》・丈夫《じょうぶ》・丈余《じょうよ》・気丈《きじょう》・背丈《せたけ》・身丈《みたけ》
畳	音 ジョウ 訓 たた(む) たたみ	12	田	た	かさねる・たたみをかぞえることば	畳語《じょうご》・畳用《じょうよう》・重畳《ちょうじょう》・畳敷《たたみじ》き・折《お》り畳《たた》み・青畳《あおだたみ》
殖	音 ショク 訓 ふ(える) ふ(やす)	12	歹	かばねへん いちたへん がつへん	ふえて多くなる・たくわえたもの	殖産《しょくさん》・学殖《がくしょく》・生殖《せいしょく》・増殖《ぞうしょく》・繁殖《はんしょく》・養殖《ようしょく》・利殖《りしょく》
飾	音 ショク 訓 かざ(る)	13	飠	しょくへん	かざる・よそおう	修飾《しゅうしょく》・装飾《そうしょく》・服飾《ふくしょく》・粉飾《ふんしょく》・宝飾《ほうしょく》・髪飾《かみかざ》り
触	音 ショク 訓 ふ(れる) さわ(る)	13	角	つのへん	何かにふれる・あたる	触手《しょくしゅ》・触発《しょくはつ》・触角《しょっかく》・触覚《しょっかく》・感触《かんしょく》・接触《せっしょく》・抵触《ていしょく》・手触《てざわ》り
侵	音 シン 訓 おか(す)	9	亻	にんべん	おかす・すすむ・やぶる・入りこむ	侵害《しんがい》・侵攻《しんこう》・侵入《しんにゅう》・侵犯《しんぱん》・侵略《しんりゃく》・不可侵《ふかしん》・自由《じゆう》を侵《おか》す
振	音 シン 訓 ふ(る) ふ(るう) ふ(れる)	10	扌	てへん	ふる・ふるえる・さかんにする	振興《しんこう》・振動《しんどう》・振幅《しんぷく》・三振《さんしん》・不振《ふしん》・振《ふ》る舞《ま》い・羽振《はぶ》り
浸	音 シン 訓 ひた(す) ひた(る)	10	氵	さんずい	水につかる・しみこむ	浸出《しんしゅつ》・浸食《しんしょく》・浸水《しんすい》・浸透《しんとう》・浸入《しんにゅう》・水浸《みずびた》し・喜《よろこ》びに浸《ひた》る

ステップ 18

練習問題

1 /24
2 /10
3 /5
4 /24

月　日

1 次の――線の漢字の読みをひらがなで記せ。

1 服飾デザイナーの道を選んだ。
2 「山々」などの語を畳語という。
3 目標を達成し、喜びに浸る。
4 この仏像は身丈が五尺五寸ある。
5 国際交流の振興に力を入れる。
6 触らぬ神にたたりなし。
7 五年で殖えた資産はわずかだ。
8 個人の自由を侵してはならない。
9 私は新しい畳のにおいが好きだ。
10 かしこくて気丈な女性だ。

11 飾らない人がらに好感を持った。
12 触手をのばして獲物をとらえる。
13 幼い子どもが手を振っている。
14 養殖したウナギを出荷する。
15 外国の飛行機が領空を侵犯した。
16 海水の浸食作用について学ぶ。
17 今月末で店を畳むことにした。
18 方位磁石の針が左右に振れる。
19 植物の生殖について研究する。
20 事業に成功して財産を殖やした。
21 友の大活躍《かつやく》に触発された。
22 高圧線に触れると感電する。
23 列車の振動音が伝わってくる。
24 記者として敏腕《びんわん》を振るっている。

2 次の各組の熟語が対義語・類義語の関係になるように、（　）に入る漢字を後の［　］の中から選べ。

対義語

1 開放―閉（　）
2 単純―（　）雑
3 受理―（　）下
4 専業―（　）業
5 温和―（　）暴

類義語

6 合格―（　）第
7 留守―不（　）
8 支度―（　）備
9 皮肉―風（　）
10 弁解―（　）明

［却・及・兼・鎖・在・刺・釈・準・複・乱］

3 次の各文にまちがって使われている同じ読みの漢字が一字ある。上に誤字を、下に正しい漢字を記せ。

	誤	正
1 サミットが日本で開かれ、各国首脳が環境問題について真険に討議を重ねた。	（　）	（　）
2 有効な少子化対策が打ち出されないまま、日本の総人口は予則よりも早く減少に転じた。	（　）	（　）
3 屋上の緑化によってヒートアイランド源象を防ごうとする動きが注目されている。	（　）	（　）
4 広葉樹の多い山道を歩くと、足の裏に落ち葉の柔らかい歓触が伝わる。	（　）	（　）
5 正月におせち料理を作る家庭が減り、伝統的な家庭料理の経承を危ぶむ声がある。	（　）	（　）

4 次の——線のカタカナを漢字に直せ。

1 久しぶりに外の空気に**フ**れた。
2 テーブルをいつも花で**カザ**ろう。
3 今年は成績が**フ**るわない。
4 台風で床上まで**シンスイ**した。
5 夏服を**タタ**んで箱にしまう。
6 ウイルスが急激に**ゾウショク**した。
7 **テザワ**りのいい布地を買った。
8 著作権**シンガイ**のおそれがある。
9 **タケ**の長いコートを愛用する。
10 店内に**ソウショク**をほどこす。
11 大雨で道が**ミズビタ**しになった。
12 仕事場は**ロクジョウ**の広さだ。
13 食欲**フシン**で元気が出ない。
14 老後に備えて貯金を**フ**やす。
15 当局との**セッショク**を試みた。
16 **ジョウブ**な体に恵まれている。
17 有害物質を完全に取り**ノゾ**く。
18 水鳥の生息に**サイテキ**な環境だ。
19 春のようにおだやかな**ヒヨリ**だ。
20 路上に積み荷が**サンラン**した。
21 **マド**を開けて風を入れよう。
22 真っ暗な中を**テサグ**りで進む。
23 村中の農家が米を**ツク**っている。
24 船を**ツク**る工場が立ち並ぶ。

使い分けよう！　**たいしょう【対象・対照・対称】**

対象…例　調査対象　読者対象　（相手・目標）
対照…例　AとBを対照する　対照的な色　（比較）
対称…例　対称図形　左右対称　（つり合っている）

ステップ 13-18

力だめし 第3回

総得点 /100

評価

A
80点 B
75点 C
70点 D
60点 E

月　日

1

次の——線の漢字の読みをひらがなで記せ。

1×10 /10

1 姉の婚礼の日取りが決まる。

2 殖産興業に力を入れる。

3 惨劇を二度と繰り返したくない。

4 祖母は水彩画を習い始めた。

5 底なし沼だと恐れられている。

6 調剤薬局で細かい説明を受ける。

7 法律を盾に取って要求を退けた。

8 アサガオの雌しべを観察する。

9 需給の調整を心がける。

10 礼状を送ろうと筆を執った。

2

次に示した部首とは異なる部首を持つ漢字をア〜オから一つ選び、記号で記せ。

2×5 /10

1 戈〔ほこづくり・ほこがまえ〕
（ア 我　イ 載　ウ 戦　エ 戒　オ 成）

2 日〔ひ〕
（ア 旨　イ 旬　ウ 書　エ 早　オ 春）

3 止〔とめる〕
（ア 武　イ 歩　ウ 歴　エ 雌　オ 正）

4 木〔き〕
（ア 査　イ 来　ウ 朱　エ 染　オ 彩）

5 辶〔しんにょう・しんにゅう〕
（ア 進　イ 巡　ウ 込　エ 辺　オ 迷）

3 次の——線のカタカナを漢字一字と送りがな（ひらがな）に直せ。

〈例〉問題にコタエル。（答える）

1×10 /10

1 新機能がソナワッたカメラだ。（　）
2 イキオイ余って転んだ。（　）
3 明朝、必ずおウカガイします。（　）
4 芋がニエレば出来上がりだ。（　）
5 この漁港はサビレル一方だ。（　）
6 不足している人員をオギナウ。（　）
7 旧友とヒサシク会っていない。（　）
8 帯と着物をタタンで片づけた。（　）
9 作品にそっと手をフレル。（　）
10 料理の出来ばえをタシカメル。（　）

4 次の——線のカタカナにあてはまる漢字をそれぞれのア〜オから一つ選び、記号で記せ。

1×10 /10

1 奇シュウ作戦が成功して勝利した。（　）
2 島へシュウ航する便がある。（　）
3 兄はよくシュウ才《さい》と言われていた。（　）
（ア 習　イ 舟　ウ 秀　エ 州　オ 襲）

4 大雨で水が家屋にシン入した。（　）
5 両国は不可シン条約を結んだ。（　）
6 道路側の窓ガラスがシン動する。（　）
（ア 侵　イ 浸　ウ 進　エ 振　オ 深）

7 似た名ショウの医薬品に注意する。（　）
8 転校生が皆にショウ介された。（　）
9 国会のショウ集を行う。（　）
10 百もショウ知の上でのことだ。（　）
（ア 照　イ 紹　ウ 承　エ 称　オ 召）

5

次の各文にまちがって使われている同じ読みの漢字が一字ある。上に誤字を、下に正しい漢字を記せ。

2×5 ／10

		誤	正
1	今大会で響異的な世界記録を樹立したことは、長年にわたる厳しい努力の成果である。	（　）	（　）
2	アジアからの留学生を迎え、共に学ぶ若者たちによる観迎会が盛大に行われた。	（　）	（　）
3	都心に向かうその通勤電車は、多数の乗客を積め込んで始発駅を定刻に出発した。	（　）	（　）
4	湖を囲むように広がる高原は紅葉がひときわ美しく、湖面には金色に輝く夕日が写っていた。	（　）	（　）
5	無農薬で育てた野菜や果物を自宅の玄間まで毎週届けてくれるシステムに加入する。	（　）	（　）

6

後の［　］内のひらがなを漢字に直して（　）に入れ、対義語・類義語を作れ。［　］内のひらがなは一度だけ使い、漢字一字を記せ。

1×10 ／10

対義語

1 反応―（　）激
2 険悪―（　）和
3 快楽―苦（　）
4 大略―（　）細
5 年始―（　）末

類義語

6 健康―（　）夫
7 道楽―（　）味
8 独断―一（　）
9 再生―（　）活
10 温順―（　）直

［さい・し・しゅ・しょう・じょう・す・ぞん・つう・にゅう・ふっ］

7 次の（　）内に入る適切な語を、後の［　］の中から選び、漢字に直して四字熟語を完成せよ。

2×10 ／20

1 （　）学多才
2 無（　）徒食
3 同（　）異夢
4 優（　）不断
5 舌先三（　）
6 空前（　）後
7 （　）年満作
8 山（　）水明
9 名（　）一体
10 針小（　）大

い・し・じつ・じゅう・しょう・ずん・ぜつ・はく・ほう・ぼう

8 次の——線のカタカナを漢字に直せ。

2×10 ／20

1 形容詞は**シュウショク**語になる。（　）
2 **ザッシ**を読んで暇をつぶす。（　）
3 血液中の**シシツ**の量が増えた。（　）
4 くわを使って畑を**タガヤ**す。（　）
5 **シャヨウ**を受けた山が好きだ。（　）
6 国税は国庫に**シュウノウ**される。（　）
7 緑の**シバフ**が一面に広がった。（　）
8 **シュンジ**の判断が命を救った。（　）
9 さわやかな朝の空気を**ス**う。（　）
10 プリンターで年賀状を**ス**る。（　）

漢字	読み	画数	部首	部首名	漢字の意味	用例	筆順
寝	音 シン 訓 ね(る) ね(かす)	13	宀	うかんむり	ねる・居室	寝具《しんぐ》・寝室《しんしつ》・寝食《しんしょく》・寝台《しんだい》・就寝《しゅうしん》・寝床《ねどこ》・寝坊《ねぼう》・昼寝《ひるね》	寝 寝3 寝 寝 寝 寝 寝9 寝 寝 寝 寝
慎	音 シン 訓 つつし(む)	13	忄	りっしんべん	気をつける・つつしむ	慎重《しんちょう》・謹慎《きんしん》・言葉《ことば》を慎《つつし》む	慎 慎 慎 慎 慎 慎 慎 慎10 慎 慎13
震	音 シン 訓 ふる(う) ふる(える)	15	雨	あめかんむり	ゆれ動く・ふるう	震源《しんげん》・震災《しんさい》・震度《しんど》・震動《しんどう》・激震《げきしん》・地震《じしん》・耐震《たいしん》・余震《よしん》	震3 震 震6 震8 震 震 震12 震 震 震
薪	音 シン 訓 たきぎ	16	艹	くさかんむり	燃料用の木・まき	薪水《しんすい》・薪炭《しんたん》・薪能《たきぎのう》・薪拾《たきぎひろ》い	薪 薪3 薪5 薪8 薪10 薪12 薪 薪 薪 薪
尽	音 ジン 訓 つ(くす) つ(きる) つ(かす)	6	尸	かばね しかばね	全部出しきる・つくす・全部	尽言《じんげん》・尽日《じんじつ》・尽力《じんりょく》・無尽蔵《むじんぞう》・一網打尽《いちもうだじん》・縦横無尽《じゅうおうむじん》・理不尽《りふじん》	尽 尽 尽 尽 尽 尽
陣	音 ジン 訓 ―	10	阝	こざとへん	じんだて・いくさ・にわかに	陣営《じんえい》・陣地《じんち》・陣痛《じんつう》・円陣《えんじん》・出陣《しゅつじん》・退陣《たいじん》・布陣《ふじん》・背水《はいすい》の陣《じん》	陣 陣 陣 陣 陣 陣 陣 陣 陣 陣
尋	音 ジン 訓 たず(ねる)	12	寸	すん	ききただす・ふつう・ひろ（長さの単位）	尋常《じんじょう》・尋問《じんもん》・千尋《せんじん》・尋《たず》ね人《びと》	尋 尋 尋 尋 尋 尋 尋9 尋 尋 尋
吹	音 スイ 訓 ふ(く)	7	口	くちへん	口でふいてならす・うそぶく・かぜ	吹奏《すいそう》・吹笛《すいてき》・吹鳴《すいめい》・鼓吹《こすい》・吹雪《ふぶき》・息吹《いぶき》	吹 吹 吹 吹 吹 吹 吹

ステップ 19

練習問題

1	2	3	4
／24	／10	／10	／24

月　日

1 次の――線の漢字の読みをひらがなで記せ。

1 火の元を点検してから就寝した。

2 人道主義を鼓吹する活動家だ。

3 余震はおおむね収まった。

4 その知らせは寝耳に水だった。

5 交番で駅までの道を尋ねる。

6 もう少し慎重に考えていきたい。

7 野外活動で薪を拾いに行った。

8 役者は紙吹雪の中を退場した。

9 村の発展に尽力した人物だ。

10 尋常な手段では相手に勝てない。

11 急病人を簡易ベッドに寝かす。

12 怒《いか》りに声を震わせて抗議する。

13 出産予定日前に陣痛が始まる。

14 強い北風が顔面に吹きつけた。

15 父の代まで薪炭商を営んでいた。

16 授業中の私語は慎むべきだ。

17 言葉ではとても言い尽くせない。

18 背水の陣で敗者復活戦にのぞむ。

19 湖は聞きしに勝る美しさだった。

20 木綿豆腐《どうふ》を使った料理だ。

21 母は夕飯の支度に取りかかった。

22 度重なるけがで引退を決意した。

23 冬物の衣類をたんすにしまう。

24 そろそろ衣がえの季節だ。

2 次の（　）内に入る適切な語を、後の□の中から選び、漢字に直して四字熟語を完成せよ。

1 和敬清（　　）
2 一（　　）落着
3 一意（　　）心
4 （　　）意工夫
5 事実無（　　）
6 人権（　　）害
7 縦横無（　　）
8 人面（　　）心
9 大（　　）名分
10 粉（　　）決算

ぎ・けん・こん・じゃく・じゅう・しょく・しん・じん・せん・そう

3 次の——線のカタカナを漢字一字と送りがな（ひらがな）に直せ。

〈例〉問題に**コタエル**。（答える）

1 くぎが出ていて非常に**アブナイ**。（　　）
2 指に針が**ササル**。（　　）
3 事故の**クワシイ**原因を調べる。（　　）
4 恐ろしくてひざが**フルエル**。（　　）
5 住民の意見を広報紙に**ノセル**。（　　）
6 責任を**キビシク**追及する。（　　）
7 今度ばかりは愛想を**ツカシ**た。（　　）
8 流星が空を**ナナメ**に横切った。（　　）
9 展示物に**サワラ**ないでください。（　　）
10 ニンジンを**コマカク**切る。（　　）

4 次の——線のカタカナを漢字に直せ。

1 話の種が**ツ**きることはなかった。
2 気象庁が**シンド**速報を発表した。
3 試合の前に**エンジン**を組む。
4 **ネ**る間もおしんで働いている。
5 **スイソウ**楽が大好きな兄弟だ。
6 水資源は**ムジンゾウ**ではない。
7 **ツツシ**み深い態度を心がける。
8 証人が検事の**ジンモン**に答える。
9 **シンショク**を忘れて勉強する。
10 **タキギ**を燃やして暖をとった。
11 寒さで体の**フル**えが止まらない。
12 その言葉の由来を**タズ**ねる。

13 口笛を**フ**いて犬を呼ぶ。
14 人込みで知人の**スガタ**を見失う。
15 **シンピ**的な輝きを放つ宝石だ。
16 皆の前でほめられて**テ**れている。
17 **スジガ**き通りに事が運んだ。
18 海でおぼれている人を**スク**った。
19 記名投票で問題の**サンピ**を問う。
20 姉がピアノの**ドクソウ**をする。
21 早くも**ドクソウ**態勢に入った。
22 実に**ドクソウ**的なデザインだ。
23 的を**イ**た質問だった。
24 堂に**イ**った演技だった。

使い分けよう! **しんにゅう【進入・侵入・浸入】**
進入…例 列車が進入する 進入禁止 (進み入る)
侵入…例 家宅侵入 住居侵入罪 (不法に押し入る)
浸入…例 泥水《でいすい》の浸入 水が浸入する (水が入る)

漢字	読み	画数	部首	部首名	漢字の意味	用例	筆順
是	音 ゼ 訓 ―	9	日	ひ	ただしい・よいとみとめる・方針・これ	是正《ぜせい》・是是非非《ぜぜひひ》・是認《ぜにん》・是非《ぜひ》・国是《こくぜ》・社是《しゃぜ》	是 是 是 是 是 是 是 是 是
井	音 セイ・ショウ 高 訓 い	4	二	に	いど・いげた・家の多いところ	市井《しせい》・油井《ゆせい》・天井《てんじょう》・井戸《いど》	井 井 井 井
姓	音 セイ・ショウ 訓 ―	8	女	おんなへん	みょうじ・家系	姓名《せいめい》・改姓《かいせい》・旧姓《きゅうせい》・氏姓《しせい》・同姓《どうせい》・夫婦別姓《ふうふべっせい》・素姓《すじょう》・百姓《ひゃくしょう》	姓 姓 姓 姓 姓 姓 姓 姓
征	音 セイ 訓 ―	8	彳	ぎょうにんべん	たたかいにいく・旅に出る	征圧《せいあつ》・征途《せいと》・征討《せいとう》・征伐《せいばつ》・征服《せいふく》・遠征《えんせい》・出征《しゅっせい》	征 征 征 征 征 征 征 征
跡	音 セキ 訓 あと	13	𧾷	あしへん	あしあと・何かがおこなわれたあと	遺跡《いせき》・奇跡《きせき》・形跡《けいせき》・史跡《しせき》・追跡《ついせき》・跡継《あとつ》ぎ・跡目《あとめ》・足跡《あしあと・そくせき》	跡3 跡 跡 跡 跡 跡9 跡 跡 跡 跡
占	音 セン 訓 し(める)・うらな(う)	5	卜	と・うらない	うらなう・自分のものにする	占拠《せんきょ》・占星術《せんせいじゅつ》・占有《せんゆう》・占領《せんりょう》・独占《どくせん》・買《か》い占《し》め・手相占《てそううらな》い	占 占 占 占 占
扇	音 セン 訓 おうぎ	10	戸	とだれ・とかんむり	おうぎ・とびら・あおりたてる	扇情《せんじょう》・扇状地《せんじょうち》・扇子《せんす》・扇動《せんどう》・扇風機《せんぷうき》・扇形《おうぎがた・せんけい》・舞扇《まいおうぎ》	扇 扇 扇 扇 扇 扇 扇 扇 扇 扇
鮮	音 セン 訓 あざ(やか)	17	魚	うおへん	あざやか・あたらしい・すくない	鮮魚《せんぎょ》・鮮血《せんけつ》・鮮度《せんど》・鮮明《せんめい》・鮮烈《せんれつ》・新鮮《しんせん》・生鮮《せいせん》	鮮 鮮 鮮 鮮 鮮 鮮7 鮮11 鮮13 鮮16 鮮

ステップ 20

練習問題

1	2	3	4
/24	/10	/10	/24

月　日

1 次の——線の漢字の読みをひらがなで記せ。

1 部屋に新鮮な空気を入れる。
2 その申し出は是認できない。
3 山頂から扇状地が見わたせる。
4 井の中のかわず大海を知らず。
5 道路の不法占拠を取りしまる。
6 夫婦別姓の議論が続いている。
7 鮮やかな包丁さばきを見せた。
8 家元の跡継ぎとして責任を負う。
9 誤った箇所を是正して提出する。
10 扇をかざして優雅に舞《ま》う。

11 厳冬のアルプスを征服した。
12 物価が天井知らずにはね上がる。
13 若者の人気を独り占めにする。
14 スーパーで生鮮食品を買う。
15 素姓を隠すために名前を変える。
16 市民が扇動されて暴徒と化した。
17 だれかが侵入した形跡がある。
18 おみくじで今年の運勢を占う。
19 モモの出荷が最盛期を迎えた。
20 極秘の文書が社外に流出した。
21 古都の史跡を訪ねて歩く。
22 まだかすかに傷跡が残っている。
23 着物を優雅に着こなしている。
24 馬の優しい目が印象に残った。

2

次の漢字の目的語・補語となる漢字を、後の□の中から選んで（　）に入れ、熟語を作れ。

1 屈（　　）

2 出（　　）

3 兼（　　）

4 追（　　）

5 汚（　　）

6 発（　　）

7 越（　　）

8 仰（　　）

9 握（　　）

10 起（　　）

汗・境・指・手・床・職・陣・跡・天・任

3

次の――線のカタカナ「**シュウ**」をそれぞれ異なる漢字に直せ。

1 受けた恩は**シュウ**生忘れない。（　　）

2 十時には**シュウ**寝するつもりだ。（　　）

3 熱気球で世界一**シュウ**にいどむ。（　　）

4 兄の自動車を**シュウ**理に出す。（　　）

5 **シュウ**作ぞろいの画集だと好評だ。（　　）

6 雑貨屋で領**シュウ**書を受け取った。（　　）

7 勝利への**シュウ**念が実を結んだ。（　　）

8 その土地特有の慣**シュウ**に従う。（　　）

9 **シュウ**休二日制が採用された。（　　）

10 敵の逆**シュウ**を受けて後退した。（　　）

4 次の——線のカタカナを漢字に直せ。

1 日本勢がメダルを**ドクセン**する。

2 暑いので**センス**を持っていく。

3 記憶が**センメイ**によみがえった。

4 村人の大半が**ドウセイ**を名乗る。

5 **アトカタ**もなく姿を消した。

6 海外**エンセイ**チームを結成する。

7 投票では賛成が過半数を**シ**めた。

8 厚紙を**オウギガタ**に切る。

9 裏の**イド**から水をくんで飲んだ。

10 **アザ**やかな色彩にあふれた絵だ。

11 昔は**ヒャクショウ**一揆《いっき》があった。

12 書家の**ヒッセキ**をまねて書く。

13 **ウラナ**い師に呼び止められた。

14 **ゼヒ**とも会合にご参加ください。

15 昨日から**ズツウ**が続いている。

16 **キワ**めて価値ある発見だ。

17 不用意な一言で**ボケツ**を掘った。

18 重い荷物を**セオ**って山道を歩く。

19 救急隊員が応急**ショチ**をした。

20 入学試験の**バイリツ**が上がった。

21 周辺諸国と**ダンコウ**して孤立《こりつ》する。

22 行政改革を**ダンコウ**する時だ。

23 年のせいか**カド**が取れてきた。

24 笑う**カド**には福来たる。

使い分けよう！ **たずねる【訪・尋】**

訪ねる…例 友人を訪ねる 名所を訪ねる （おとずれる）

尋ねる…例 道を尋ねる 行方を尋ねる （質問する）

漢字	読み	画数	部首	部首名	漢字の意味	用例	筆順
訴	音 ソ 訓 うった(える)	12	言	ごんべん	裁判をもとめる・不満をうったえる	訴訟《そしょう》・訴状《そじょう》・起訴《きそ》・告訴《こくそ》・直訴《じきそ》・勝訴《しょうそ》・提訴《ていそ》	4・6
僧	音 ソウ 訓 ―	13	亻	にんべん	坊《ぼう》さん	僧衣《そうい》・僧院《そういん》・僧職《そうしょく》・僧俗《そうぞく》・僧坊《そうぼう》・僧門《そうもん》・学僧《がくそう》・高僧《こうそう》	2・4・11
燥	音 ソウ 訓 ―	17	火	ひへん	かわく・いらだつ	乾燥《かんそう》・枯燥《こそう》・高燥《こうそう》・焦燥《しょうそう》	7・10・13・15
騒	音 ソウ 訓 さわ(ぐ)	18	馬	うまへん	さわがしい・みだれる	騒音《そうおん》・騒然《そうぜん》・騒動《そうどう》・騒乱《そうらん》・狂騒《きょうそう》・物騒《ぶっそう》・胸騒《むなさわ》ぎ	5・10・15・18
贈	音 ゾウ ソウ 訓 おく(る)	18	貝	かいへん	人にお金や物をおくる・おくりもの	贈賞《ぞうしょう》・贈呈《ぞうてい》・贈答《ぞうとう》・贈与《ぞうよ》・寄贈《きぞう》《きそう》・恵贈《けいぞう》・贈《おく》り物《もの》	5・7・9・14・18
即	音 ソク 訓 ―	7	卩	わりふ ふしづくり	つく・すぐ・すなわち・ただちに	即位《そくい》・即応《そくおう》・即座《そくざ》・即席《そくせき》・即断即決《そくだんそっけつ》・即答《そくとう》・即興《そっきょう》・即刻《そっこく》	
俗	音 ゾク 訓 ―	9	亻	にんべん	ならわし・ありふれた・上品でない	俗悪《ぞくあく》・俗事《ぞくじ》・俗説《ぞくせつ》・俗物《ぞくぶつ》・通俗《つうぞく》・低俗《ていぞく》・風俗《ふうぞく》・民俗《みんぞく》	
耐	音 タイ 訓 た(える)	9	而	しかして しこうして	もちこたえる・がまんする	耐火《たいか》・耐寒《たいかん》・耐久《たいきゅう》・耐震《たいしん》・耐水《たいすい》・耐熱《たいねつ》・耐用《たいよう》・忍耐《にんたい》	

ステップ 21

練習問題

1	/24
2	/10
3	/5
4	/24

月　日

1 次の——線の漢字の読みをひらがなで記せ。

1 会議場は一時騒然となった。
2 厳しい試練に耐えて成長する。
3 世間の俗事をさけて山にこもる。
4 贈賞式がホテルで開かれた。
5 市民の訴えが行政を動かした。
6 時代の流れに即応した経営だ。
7 名高い高僧の講話を聞いた。
8 胸騒ぎがしたので家に帰った。
9 大学で民俗学の研究をする。
10 耐用年数の過ぎた旧式の機械だ。
11 高燥の地に合った作物を植える。
12 卒業生に花束と記念品を贈る。
13 裁判所に提訴する予定だ。
14 要望に応じて即興で詩を作る。
15 現状に見合わない机上の空論だ。
16 針葉樹林に囲まれた小道を行く。
17 思いがけない騒動が持ち上がる。
18 近ごろ周囲がひどく騒がしい。
19 機能より耐久性を優先して選ぶ。
20 長年の風雪に耐えてきた。
21 裁判は原告側が勝訴した。
22 完走後、足首の痛みを訴えた。
23 筆舌に尽くしがたい苦労をした。
24 質の高さに専門家も舌を巻いた。

2 次の各組の熟語が対義語・類義語の関係になるように、（　）に入る漢字を後の［　］の中から選べ。

対義語

1 軽率―（　）重
2 借用―返（　）
3 無口―多（　）
4 病弱―（　）夫
5 簡略―（　）細

類義語

6 早速―（　）刻
7 専有―独（　）
8 日常―平（　）
9 可否―（　）非
10 利害―（　）得

［済・詳・丈・慎・是・占・素・即・損・弁］

3 次の各文にまちがって使われている同じ読みの漢字が一字ある。上に誤字を、下に正しい漢字を記せ。

	誤	正
1 新世紀に入っても民俗同士の争いは解決策が見えず、深刻さを増している。	（　）	（　）
2 健康ブームを反映して入浴材の昨年度の輸入高が過去最高を記録した。	（　）	（　）
3 肉筆の日記やスケッチなど、作家の遺品が遺族から資料館に寄蔵された。	（　）	（　）
4 新人二人を含む市長選は速日開票の結果、現職の候補が再選された。	（　）	（　）
5 野菜や洗魚などの価格は天候や気候による出荷量に極めて左右されやすい。	（　）	（　）

4 次の――線のカタカナを漢字に直せ。

1 犯人は**サワ**ぎに乗じてにげた。
2 **ゾウトウ**品にのし紙をかける。
3 高温にも**タ**える構造の商品だ。
4 門前の**コゾウ**習わぬ経を読む。
5 住民の良識に**ウッタ**えたい。
6 **ソクセキ**でスピーチをした。
7 冬場は空気が**カンソウ**する。
8 入賞者に賞状が**オク**られた。
9 風評や**ゾクセツ**に振り回される。
10 **ブッソウ**な時代になったものだ。
11 **タイカン**訓練で心身をきたえる。
12 証拠不十分で不**キソ**処分となる。
13 事件は**メイキュウ**入りとなった。
14 **ムナモト**でリボンがゆれている。
15 君子**アヤ**うきに近寄らず。
16 **ダンペン**的にしか思い出せない。
17 財界で**ハブ**りをきかせている。
18 初めて大きな仕事を**マカ**された。
19 二列**ジュウタイ**で行進する。
20 堂々と自分の意見を**ノ**べた。
21 転校生を全員に**ショウカイ**する。
22 在庫の有無を**ショウカイ**する。
23 長男が**アト**目を継いだ。
24 今ごろ気づいても**アト**の祭りだ。

意味深長（いみしんちょう）
もともとは「人の行動や文章などの内容が奥深いこと」という意味ですが、「表面上の意味のほかに別の意味がひそんでいること」という意味でも使います。「深重」「慎重」と書き誤らないように注意しましょう。
例 意味深長な発言が飛びかう。

漢字	読み	画数	部首	部首名	漢字の意味	用例
替	音 タイ 訓 か(える) か(わる)	12	曰	ひらび いわく	入れかわる・おとろえる	交替《こうたい》・代替《だいたい》・替《か》え歌《うた》・着替《きが》え・口座振替《こうざふりかえ》・両替《りょうがえ》・為替《かわせ》
沢	音 タク 訓 さわ	7	氵	さんずい	さわ・ゆたか・つや	沢山《たくさん》・恩沢《おんたく》・光沢《こうたく》・潤沢《じゅんたく》・沢《さわ》ガニ・沢登《さわのぼ》り
拓	音 タク 訓 ――	8	扌	てへん	ひらく・ものの形を墨《すみ》で紙に写しとること	拓殖《たくしょく》・拓本《たくほん》・開拓《かいたく》・干拓《かんたく》・魚拓《ぎょたく》
濁	音 ダク 訓 にご(る) にご(す)	16	氵	さんずい	にごる・けがれ・みだれる	濁音《だくおん》・濁水《だくすい》・濁流《だくりゅう》・汚濁《おだく》・混濁《こんだく》・清濁《せいだく》・白濁《はくだく》・濁《にご》り酒《ざけ》
脱	音 ダツ 訓 ぬ(ぐ) ぬ(げる)	11	月	にくづき	ぬぐ・のがれる・とりのぞく・はずれる	脱衣《だつい》・脱出《だっしゅつ》・脱税《だつぜい》・脱退《だったい》・脱皮《だっぴ》・脱落《だつらく》・着脱《ちゃくだつ》・離脱《りだつ》
丹	音 タン 訓 ――	4	丶	てん	赤・心をこめる・ねった丸薬	丹精《たんせい》・丹誠《たんせい》・丹頂《たんちょう》・丹念《たんねん》
淡	音 タン 訓 あわ(い)	11	氵	さんずい	色がうすい・あっさりしている・塩分がない	淡紅《たんこう》・淡水《たんすい》・淡淡《たんたん》・淡泊《たんぱく》・枯淡《こたん》・濃淡《のうたん》・冷淡《れいたん》・淡雪《あわゆき》
嘆	音 タン 訓 なげ(く) なげ(かわしい)	13	口	くちへん	なげく・ほめたたえる・ためいき	嘆願《たんがん》・嘆賞《たんしょう》・嘆声《たんせい》・嘆息《たんそく》・感嘆《かんたん》・驚嘆《きょうたん》・悲嘆《ひたん》・世《よ》を嘆《なげ》く

筆順

ステップ22

練習問題

1	/24
2	/16
3	/10
4	/24

月　日

1 次の――線の漢字の読みをひらがなで記せ。

1 近代国家への脱皮を図る時期だ。
2 一万円札を千円札十枚と替える。
3 名人の技に感嘆の声を上げた。
4 厳冬期には沢の水がこおる。
5 その作品には枯淡な趣がある。
6 立つ鳥跡を濁さず。
7 湖の干拓事業は中止となった。
8 祖母が丹精込めて育てた花だ。
9 昼食は日替わり定食にしよう。
10 階段の半ばでスリッパが脱げた。
11 からぶきして床板に光沢を出す。
12 近年のモラル低下が嘆かわしい。
13 河川の水質汚濁が問題となる。
14 やわらかい綿毛のような淡雪だ。
15 明日の当番を交替してもらった。
16 久しぶりに息子が帰省する。
17 敵の包囲から無事に脱出した。
18 暖かいのでコートを脱いだ。
19 人知れず嘆息をもらす。
20 若き友を失った嘆きは尽きない。
21 理由は皆目見当がつかない。
22 どれも皆非常によく出来ている。
23 進退に関しては言及しなかった。
24 常人には及びもつかない才能だ。

2 次の（　）にそれぞれ異なる「シン」と音読みする適切な漢字を書き入れて熟語を作れ。

1 （　）略
2 （　）臓
3 音（　）
4 （　）経質
5 就（　）
6 方（　）
7 （　）炭林
8 推（　）
9 出（　）
10 （　）鮮
11 （　）善
12 （　）透《とう》
13 耐（　）
14 （　）林浴
15 写（　）
16 （　）呼吸

3 熟語の構成のしかたには次のようなものがある。

ア 同じような意味の漢字を重ねたもの（岩石）
イ 反対または対応の意味を表す字を重ねたもの（高低）
ウ 上の字が下の字を修飾しているもの（洋画）
エ 下の字が上の字の目的語・補語になっているもの（着席）
オ 上の字が下の字の意味を打ち消しているもの（非常）

次の熟語は右のア～オのどれにあたるか、一つ選び、記号で記せ。

1 嘆声（　）
2 耐熱（　）
3 清濁（　）
4 淡彩（　）
5 即決（　）
6 雅俗（　）
7 開拓（　）
8 脱色（　）
9 未詳（　）
10 代替（　）

4 次の——線のカタカナを漢字に直せ。

1 人々を**キョウタン**させる発明だ。
2 言葉を**ニゴ**して即答をさけた。
3 **アワ**い期待を持ち続けている。
4 祖母にお菓子を**タクサン**もらう。
5 修理中は**ダイタイ**機を使用した。
6 下級生の熱意にかぶとを**ヌ**いだ。
7 ほころびを**タンネン**につくろう。
8 成果が上がらず**ナゲ**いている。
9 大雨で川は**ダクリュウ**と化した。
10 係員の態度は**レイタン**だった。
11 水草のしげる**サワ**伝いに下った。
12 今も**カイタク**者精神を忘れない。

13 優勝争いから**ダツラク**する。
14 代金は郵便**フリカエ**で願います。
15 一年前から友の便りが**タ**えた。
16 健康を**タモ**つよう心がけている。
17 カップにコーヒーを**ソソ**ぐ。
18 日本語は**タテ**書きに適している。
19 雨具に名前の**カシラ**文字を書く。
20 **コワイロ**を変えて電話に出た。
21 むだな経費を**セツヤク**する。
22 そろそろ春一番が**フ**くころだ。
23 肩が**フ**れ合うほどの混雑だった。
24 速度計の針が**フ**り切れる。

使い分けよう！ つとめる【努・勤・務】
努める…例 完成に努める　解決に努める　（努力する）
勤める…例 会社に勤める　勤め先　（職場で働く）
務める…例 議長を務める　主役を務める　（役目を受け持つ）

ステップ 23

漢字	端	弾	恥	致	遅	蓄	沖	跳
読み	音 タン 訓 はし・は[高]・はた	音 ダン 訓 ひ(く)・はず(む)・たま	音 チ 訓 は(じる)・はじ・は(じらう)・は(ずかしい)	音 チ 訓 いた(す)	音 チ 訓 おく(れる)・おく(らす)・おそ(い)	音 チク 訓 たくわ(える)	音 チュウ[高] 訓 おき	音 チョウ 訓 は(ねる)・と(ぶ)
画数	14	12	10	10	12	13	7	13
部首	立	弓	心	至	辶	艹	氵	⻊
部首名	たつへん	ゆみへん	こころ	いたる	しんにょう しんにゅう	くさかんむり	さんずい	あしへん
漢字の意味	きちんとしている・物事の始まり・ことがら	たま・はじく・非難する・弦《げん》楽器をひく	きまりがわるい・はずかしい	来させる・行き着かせる・ぴったり合う	時間がかかる・間に合わない	たくわえる・やしなう	おき・深いところ・高くあがる	地面をけってとびはねる
用例	端末《たんまつ》・端麗《たんれい》・異端《いたん》・極端《きょくたん》・片端《かたはし》・井戸端会議《いどばたかいぎ》・道端《みちばた》	弾圧《だんあつ》・弾性《だんせい》・弾薬《だんやく》・弾力《だんりょく》・実弾《じつだん》・爆弾《ばくだん》・連弾《れんだん》・弾《ひ》き手《て》	恥辱《ちじょく》・恥部《ちぶ》・無恥《むち》・恥知《はじし》らず・赤恥《あかはじ》・生《い》き恥《はじ》	致死《ちし》・致命傷《ちめいしょう》・合致《がっち》・極致《きょくち》・招致《しょうち》・筆致《ひっち》・風致《ふうち》・誘致《ゆうち》	遅延《ちえん》・遅刻《ちこく》・遅速《ちそく》・遅滞《ちたい》・遅遅《ちち》・遅配《ちはい》・遅咲《おそざ》き	蓄財《ちくざい》・蓄積《ちくせき》・蓄電池《ちくでんち》・含蓄《がんちく》・貯蓄《ちょちく》・備蓄《びちく》・力《ちから》を蓄《たくわ》える	沖積層《ちゅうせきそう》・沖天《ちゅうてん》・沖合《おきあい》・沖釣《おきづ》り	跳馬《ちょうば》・跳躍《ちょうやく》・高跳《たかと》び・縄跳《なわと》び・幅跳《はばと》び・飛《と》び跳《は》ねる
筆順	端 2 端 4 端 端 端 端 端 10 端 端 端 14	弾 弾 弾 弾 弾 弾 弾 8 弾 10 弾 弾	恥 恥 恥 恥 恥 恥 恥 恥 恥 恥	致 致 致 致 致 致 致 致 致 致	遅 遅 遅 遅 5 遅 遅 8 遅 遅 遅 遅	蓄 蓄 3 蓄 5 蓄 蓄 蓄 蓄 蓄 蓄 蓄 13	沖 沖 沖 沖 沖 沖 沖	跳 3 跳 跳 跳 跳 跳 跳 10 跳 跳 跳

ステップ 23

練習問題

1	／24
2	／5
3	／10
4	／24

月　日

1 次の――線の漢字の読みをひらがなで記せ。

1 久しぶりの再会に話が弾んだ。
2 会議の開始時間を遅らせた。
3 計画に弾力性を持たせて考える。
4 人前で恥ずかしい思いをする。
5 三段跳びで見事優勝する。
6 巣穴に木の実を蓄えて越冬する。
7 道端にかわいい花が咲いていた。
8 本年もよろしくお願い致します。
9 遅かれ早かれ出会うことになる。
10 狩りの流れ弾が大木をかすめた。
11 社会の恥部をさらけ出している。
12 資金不足で工事が遅延する。
13 沖にイカ漁の明かりが見える。
14 カエルが跳ねて池に飛び込んだ。
15 世界大会の招致合戦が始まった。
16 ピアノの弾き語りをする。
17 手で用紙の片端を押さえる。
18 出力の高い蓄電池を開発中だ。
19 恥も外聞もなく居座り続ける。
20 社の森を風致林として保存する。
21 体操競技の跳馬に出場する。
22 机の上に端末機が並んでいる。
23 つかれが蓄積して元気が出ない。
24 若いうちに多くの知識を蓄える。

2 1〜5の三つの□に共通する漢字を入れて熟語を作れ。漢字はア〜コから一つ選び、記号で記せ。

1 先□・□的・□正　（　）
2 極□・筆□・□命傷　（　）
3 開□・干□・魚□　（　）
4 貯□・□財・含□　（　）
5 実□・□性・□薬　（　）

ア 即　イ 端　ウ 拓　エ 耐　オ 蓄
カ 弾　キ 吹　ク 丹　ケ 斜　コ 致

3 後の□内のひらがなを漢字に直して（　）に入れ、対義語・類義語を作れ。□内のひらがなは一度だけ使い、漢字一字を記せ。

対義語

1 高雅―低（　）
2 清流―（　）流
3 起床―就（　）
4 加入―（　）退
5 歓喜―悲（　）

類義語

6 結束―（　）結
7 弁明―（　）明
8 真心―（　）意
9 快活―明（　）
10 貯蔵―備（　）

しゃく・しん・せい・ぞく・だく・だっ・
たん・だん・ちく・ろう

4 次の――線のカタカナを漢字に直せ。

1 ピストルの**タマ**をぬいて捨てる。
2 大勢の前で**アカハジ**をかいた。
3 母は井戸**バタ**会議が苦手だ。
4 兄が公園でギターを**ヒ**いている。
5 歌手としては**オソザ**きだ。
6 立派なひげを**タクワ**えている。
7 この国の将来に思いを**イタ**した。
8 部下の厚顔《こうがん》**ムチ**な態度を戒める。
9 息を**ハズ**ませて駆け込んできた。
10 言葉の**ハシ**に自信が感じとれる。
11 大雨で列車が**オク**れて到着《とうちゃく》した。
12 船ははるか**オキ**へと出ていった。

13 油が**ハ**ねてコンロが汚れた。
14 両者の見解は完全に**ガッチ**した。
15 良心に**ハ**じない行動をとれ。
16 **ガンチク**に富んだ話だ。
17 言論の**ダンアツ**に抗議する。
18 寝過ごして会議に**チコク**した。
19 点数に**キョクタン**な差が出る。
20 校庭で走り高**ト**びの練習をする。
21 地震で道路が**スンダン**される。
22 労働時間の**タンシュク**を進める。
23 敵の陣地をいっせいに**セ**める。
24 周囲から失言を**セ**められた。

一唱三嘆（いっしょうさんたん）
「詩文を一度よみ上げれば、その素晴らしさに何度も感嘆すること」の意味から、すぐれた詩文をほめたたえる言葉として使います。似た意味の四字熟語として、「一読三嘆」などがあります。
例 一唱三嘆の作品も少なくない。

漢字	読み	画数	部首	部首名	漢字の意味	用例	筆順
徴	音 チョウ 訓 —	14	彳	ぎょうにんべん	何かがおこるきざし・とりたてる・しるし	徴候《ちょうこう》・徴収《ちょうしゅう》・徴発《ちょうはつ》・徴兵《ちょうへい》・象徴《しょうちょう》・追徴《ついちょう》・特徴《とくちょう》	4 10
澄	音 チョウ 高 訓 す(む) す(ます)	15	氵	さんずい	にごりがない・すんでいる	清澄《せいちょう》・澄《す》まし顔《がお》・上澄《うわず》み・耳《みみ》を澄《す》ます	3 12 14
沈	音 チン 訓 しず(む) しず(める)	7	氵	さんずい	水の底にしずむ・元気がない	沈下《ちんか》・沈思《ちんし》・沈着《ちんちゃく》・沈痛《ちんつう》・沈殿《ちんでん》・沈黙《ちんもく》・消沈《しょうちん》・浮沈《ふちん》	
珍	音 チン 訓 めずら(しい)	9	王	おうへん たまへん	めったにない・かわっていておもしろい	珍奇《ちんき》・珍客《ちんきゃく》・珍事《ちんじ》・珍獣《ちんじゅう》・珍重《ちんちょう》・珍品《ちんぴん》・珍味《ちんみ》・珍妙《ちんみょう》	
抵	音 テイ 訓 —	8	扌	てへん	さからう・かわりになる・だいたい	抵抗《ていこう》・抵触《ていしょく》・抵当《ていとう》・大抵《たいてい》	
堤	音 テイ 訓 つつみ	12	土	つちへん	どて・つつみ	堤防《ていぼう》・長堤《ちょうてい》・突堤《とってい》・防潮堤《ぼうちょうてい》・防波堤《ぼうはてい》	5 7
摘	音 テキ 訓 つ(む)	14	扌	てへん	つまみとる・えらびだす・とりだして示す	摘載《てきさい》・摘出《てきしゅつ》・摘発《てきはつ》・摘要《てきよう》・指摘《してき》・摘《つ》み草《くさ》・茶摘《ちゃつ》み	5 7 14
滴	音 テキ 訓 しずく したた(る) 高	14	氵	さんずい	したたる・しずく	滴下《てきか》・一滴《いってき》・雨滴《うてき》・水滴《すいてき》・点滴《てんてき》・油滴《ゆてき》・余滴《よてき》	3 14

ステップ 24

練習問題

1	2	3	4
/24	/10	/9	/24

月　日

1 次の——線の漢字の読みをひらがなで記せ。

1 幼いころ庭で花を摘んで遊んだ。
2 地盤《じばん》沈下で建物が傾く。
3 住民は最後まで抵抗を続けた。
4 額から汗の滴がしたたり落ちる。
5 耳を澄まして小鳥の声をきく。
6 山海の珍味で客をもてなす。
7 梅雨に備えて堤を補強する。
8 参加者から会費を徴収する。
9 ソファーに深々と身を沈めた。
10 市の条例に抵触する建築物だ。
11 手術で臓器の一部を摘出した。
12 湖は底が見えるほど澄んでいる。
13 窓ガラスに水滴が付着している。
14 昨日、出先で珍しい人に会った。
15 防波堤の上をカモメが飛びかう。
16 その兄弟は声に特徴がある。
17 親の期待に背いて文学を志した。
18 世界一の記録だと認定される。
19 ブームは沈静化に向かった。
20 赤い夕日が西の山に沈んでいく。
21 ジャングルは珍獣の宝庫という。
22 弟には珍しくとても早起きだ。
23 そんな理不尽な要求は断る。
24 まだ十分に力を尽くしていない。

2 次の（　）内に入る適切な語を、後の□の中から選び、漢字に直して四字熟語を完成せよ。

1 （　）非善悪
2 名所旧（　）
3 老成円（　）
4 一触（　）発
5 一唱三（　）
6 公序良（　）
7 （　）常一様
8 言行一（　）
9 （　）生大事
10 意気消（　）

ご・じゅく・じん・ぜ・せき・そく・ぞく・たん・ち・ちん

3 次の——線のカタカナにあてはまる漢字をそれぞれのア〜オから一つ選び、記号で記せ。

1 犬とサルは相**ショウ**が悪い。（　）
2 昔話は作者未**ショウ**のものが多い。（　）
3 卒業後、臨**ショウ**医として働く。（　）
（ア床　イ紹　ウ性　エ召　オ詳）

4 同窓会は**セイ**会のうちに終わった。（　）
5 大学の友人が結婚して改**セイ**した。（　）
6 他国に**セイ**服された時代があった。（　）
（ア精　イ征　ウ製　エ姓　オ盛）

7 洗った上着をよく乾**ソウ**させる。（　）
8 おじは若くして**ソウ**門に入った。（　）
9 道路工事の**ソウ**音になやむ。（　）
（ア燥　イ層　ウ僧　エ騒　オ装）

4 次の——線のカタカナを漢字に直せ。

1 花びらに雨の**シズク**が落ちる。
2 その集落はダムの底に**シズ**んだ。
3 父祖伝来の書を**チンチョウ**する。
4 才能の芽を**ツ**むべきではない。
5 友人と**ツツミ**を散歩する。
6 自宅の土地を**テイトウ**に入れる。
7 上司は常に冷静**チンチャク**だ。
8 病院で**テンテキ**を受ける。
9 外国の**メズラ**しい切手を集める。
10 大雨で**テイボウ**が決壊した。
11 **ス**ました顔で横を通り過ぎた。
12 経済改革の問題点を**シテキ**する。

13 ハトは平和の**ショウチョウ**だ。
14 一生をかけて**ツミ**をつぐなう。
15 ついに仕上げの**ダンカイ**に来た。
16 妹は広い館内で**マイゴ**になった。
17 習った料理を**サッソク**作った。
18 村外れに**ジゾウ**堂がある。
19 炭を**タワラ**に詰めて運ぶ。
20 住居**シンニュウ**の疑いがある。
21 大型車の**シンニュウ**禁止区域だ。
22 問題の早期解決に**ツト**める。
23 市内の旅行会社に**ツト**める。
24 執行部会の委員を**ツト**める。

「々」ってナ〜ニ?

「々」は同じ字を二度書く労を省く符号《ふごう》で「踊《おど》り字（繰り返し符号）」といいます。これは「人々」「年々」などの漢字一字の繰り返しにのみ用います。「不承不承」といった熟語の繰り返しや、「民主主義」「学生生活」のように複合語と認められる語句には用いません。

総得点 ／100

評価
A
80点 B
75点 C
70点 D
60点 E

月　日

1 次の――線の漢字の読みをひらがなで記せ。 1×10 ／10

1 為替相場の変動が激しい。（　　）
2 大つぶの雨滴が窓をたたいた。（　　）
3 見事な魚拓が壁《かべ》に飾ってある。（　　）
4 沖に進むと海の色が変化した。（　　）
5 告訴状を検察に提出する。（　　）
6 高度な技の連続に嘆声が上がる。（　　）
7 作業は遅遅としてはかどらない。（　　）
8 桜吹雪の中をゆっくり散歩する。（　　）
9 実弾を使用した訓練は行わない。（　　）
10 クラスに同姓の人が三人いる。（　　）

2 次の漢字の部首と部首名を（　）に記せ。部首名が二つ以上あるものは、そのいずれか一つを記せばよい。 2×10 ／20

	部首	部首名
1 震	（　）	（　）
2 尽	（　）	（　）
3 尋	（　）	（　）
4 井	（　）	（　）
5 占	（　）	（　）
6 耐	（　）	（　）
7 替	（　）	（　）
8 即	（　）	（　）
9 薪	（　）	（　）
10 珍	（　）	（　）

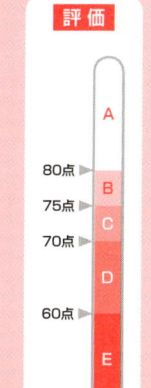

3

1～5の三つの□に共通する漢字を入れて熟語を作れ。漢字はア～コから一つ選び、記号で記せ。

2×5 ／10

1 □音・□水・清□（　）

2 □目・奇□・足□（　）

3 □品・□重・□奇（　）

4 □子・□動・□形（　）

5 狂□・□音・□動（　）

ア 騒　イ 扇　ウ 滴　エ 半　オ 濁
カ 名　キ 上　ク 珍　ケ 跡　コ 情

4

熟語の構成のしかたには次のようなものがある。

1×10 ／10

ア 同じような意味の漢字を重ねたもの（岩石）
イ 反対または対応の意味を表す字を重ねたもの（高低）
ウ 上の字が下の字を修飾しているもの（洋画）
エ 下の字が上の字の目的語・補語になっているもの（着席）
オ 上の字が下の字の意味を打ち消しているもの（非常）

次の熟語は右のア～オのどれにあたるか、一つ選び、記号で記せ。

1 寝室（　）
2 違反（　）
3 退陣（　）
4 無恥（　）
5 尋問（　）
6 鮮魚（　）
7 贈答（　）
8 遅速（　）
9 尽力（　）
10 不沈（　）

5

次の各文にまちがって使われている同じ読みの漢字が一字ある。上に誤字を、下に正しい漢字を記せ。

2×5 ／10

	問題文	誤	正
1	近く開業する地下鉄に導入される新型車両は、車体に鮮やかな青色を拝したデザインだ。	（　）	（　）
2	才能あるピアニストが初来日した演奏会には、全国から宅山のファンが詰めかけた。	（　）	（　）
3	各国代表による話し合いは難行したが、議長の修正案に異議を唱える者はいなかった。	（　）	（　）
4	四十年ぶりの中学同窓会会場では、最初に受付で会費を調収し各人に名札をわたした。	（　）	（　）
5	大型台風の就来に備え、地域住民が協力して河川と田畑の見回りを行う。	（　）	（　）

6

後の［　］内のひらがなを漢字に直して（　）に入れ、対義語・類義語を作れ。［　］内のひらがなは一度だけ使い、漢字一字を記せ。

1×10 ／10

対義語

1 好調—不（　）

2 損失—利（　）

3 服従—抵（　）

4 相違—一（　）

5 消費—貯（　）

類義語

6 細心—（　）念

7 身長—背（　）

8 苦労—難（　）

9 気質—（　）分

10 土手—（　）防

［えき・ぎ・こう・しょう・しん・たけ・たん・ち・ちく・てい］

7

次の（　）内に入る適切な語を、後の□の中から選び、漢字に直して四字熟語を完成せよ。

2×10　／20

1 直情（　）行
2 （　）非曲直
3 自（　）暗示
4 多事多（　）
5 （　）心伝心
6 独断（　）行
7 即断即（　）
8 真実一（　）
9 無（　）乾燥
10 品行（　）正

い・けい・けつ・こ・ぜ・せん・たん・ほう・み・ろ

8

次の――線のカタカナを漢字に直せ。

1×10　／10

1 **コタン**な風格を備えた名画だ。（　）
2 **ス**みわたる空の下で深呼吸した。（　）
3 不正薬物の密輸を**テキハツ**する。（　）
4 地面でボールが**ハ**ね返る。（　）
5 時代とともに**フウゾク**も変わる。（　）
6 暴飲暴食を**ツツシ**んでいる。（　）
7 やかんから**ジョウキ**が立ち上る。（　）
8 人間としての**ソンゲン**を保つ。（　）
9 **ソウリツ**記念の式典に参列する。（　）
10 **デマカ**せを言って後でくやんだ。（　）

漢字	読み（音）	読み（訓）	画数	部首	部首名	漢字の意味	用例
添	テン	そ(える) そ(う)	11	氵	さんずい	つけ加える・そえもの	添加《てんか》・添景《てんけい》・添削《てんさく》・添乗《てんじょう》・添付《てんぷ》・添《そ》え物《もの》・添《そ》い寝《ね》
殿	デン テン	との どの	13	殳	るまた ほこづくり	大きい建物・人をうやまってよぶことば	殿堂《でんどう》・貴殿《きでん》・宮殿《きゅうでん》・沈殿《ちんでん》・妃《ひ》殿下《でんか》・御殿《ごてん》・殿方《とのがた》・殿様《とのさま》
吐	ト	は(く)	6	口	くちへん	口からはく・出す	吐息《といき》・吐血《とけつ》・吐露《とろ》・吐《は》き気《け》
途	ト	——	10	辶	しんにょう しんにゅう	行き来するみち・方法	途上《とじょう》・途方《とほう》・帰途《きと》・使途《しと》・前途《ぜんと》・中途《ちゅうと》・別途《べっと》・用途《ようと》
渡	ト	わた(る) わた(す)	12	氵	さんずい	わたる・人手にわたす・移る	渡河《とか》・渡海《とかい》・渡航《とこう》・渡米《とべい》・渡来《とらい》・過渡期《かとき》・譲渡《じょうと》・世渡《よわた》り
奴	ド	——	5	女	おんなへん	自由のない使用人・人をののしることば	奴隷《どれい》・守銭奴《しゅせんど》・農奴《のうど》
怒	ド	いか(る) おこ(る)	9	心	こころ	腹を立てる・はげしい	怒気《どき》・怒号《どごう》・喜怒《きど》・激怒《げきど》・怒鳴《どな》る・怒《いか》り心頭《しんとう》に発《はっ》する
到	トウ	——	8	刂	りっとう	いたる・ぎりぎりのところまで・いき届く	到達《とうたつ》・到着《とうちゃく》・到底《とうてい》・到来《とうらい》・殺到《さっとう》・周到《しゅうとう》・前人未到《ぜんじんみとう》

筆順

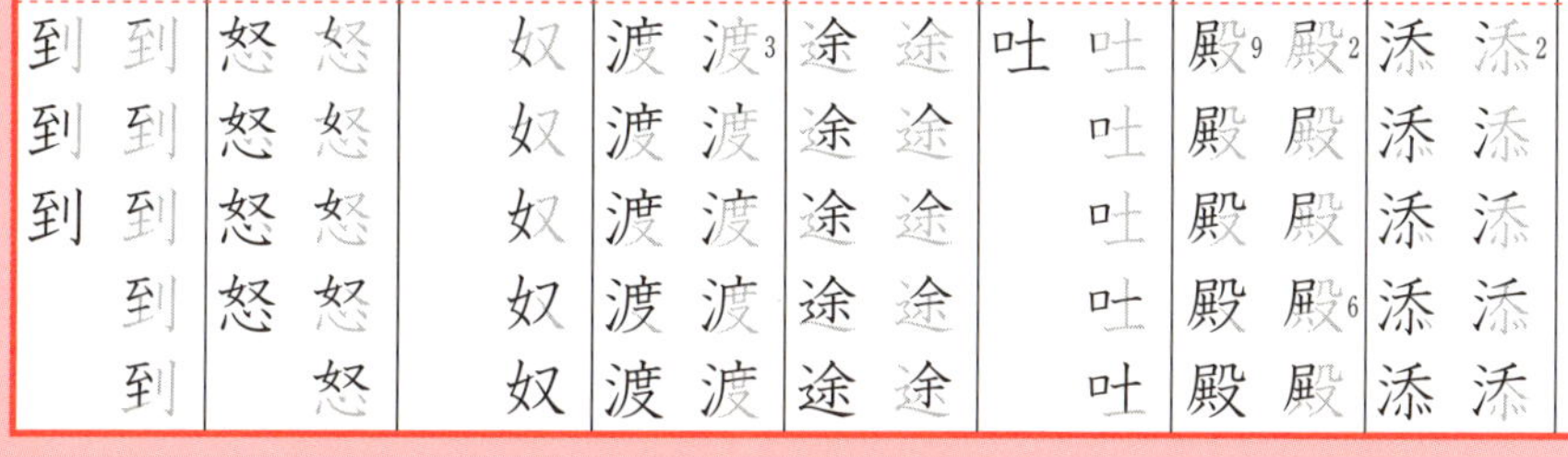

ステップ 25

練習問題

1	/24
2	/10
3	/5
4	/24

月　日

1 次の――線の漢字の読みをひらがなで記せ。

1 近所に御殿のような家が建った。
2 多額の使途不明金が見つかった。
3 不正行為に怒りの声を上げる。
4 子どもから大人への過渡期だ。
5 店に注文の電話が殺到した。
6 見渡す限りのラベンダー畑だ。
7 弱音を吐くようではだめだ。
8 海外からの通信が途切れた。
9 委任状のはじめに会長殿と書く。
10 旅行会社の添乗員になった。
11 守銭奴と言われたくない。
12 ハンバーグに野菜を添える。
13 少女は深い吐息をもらした。
14 場内から怒号が飛びかった。
15 通学途中に試験勉強をする。
16 古代に日本へ渡ってきた一族だ。
17 名人の域には到達できない。
18 今回の目標の達成は至難の業だ。
19 卒業論文に参考資料を添付する。
20 入学式には親が付き添った。
21 優れた絵画を集めた美の殿堂だ。
22 殿方もご婦人方もぜひどうぞ。
23 ヘリコプターで薬剤を散布した。
24 余った布切れでぞうきんを作る。

2 後の□内のひらがなを漢字に直して（　）に入れ、対義語・類義語を作れ。□内のひらがなは一度だけ使い、漢字一字を記せ。

対義語

1 出発—（　）着
2 服従—反（　）
3 防御—攻（　）
4 中断—（　）続
5 短縮—（　）長

類義語

6 永遠—不（　）
7 価格—（　）段
8 興奮—熱（　）
9 最高—（　）上
10 将来—前（　）

えん・きゅう・きょう・けい・げき・こう・し・と・とう・ね

3 1〜5の三つの□に共通する漢字を入れて熟語を作れ。漢字はア〜コから一つ選び、記号で記せ。

1 水□・点□・□下（　）
2 □解・不□・□述（　）
3 □位・□応・□刻（　）
4 □角・感□・□手（　）
5 悲□・□願・□声（　）

ア 柔　イ 詳　ウ 称　エ 侵　オ 滴
カ 即　キ 飾　ク 嘆　ケ 到　コ 触

4 次の——線のカタカナを漢字に直せ。

1 妹は服を汚されたと**オコ**った。
2 米国への**トコウ**手続きを終えた。
3 重い病気にかかって**トケツ**した。
4 優美で装飾的な**キュウデン**だ。
5 母親が赤ちゃんに**ソ**い寝する。
6 この品物は**ベット**配送致します。
7 **イカ**り心頭に発する。
8 中世の**ノウド**制について調べる。
9 家主の要求で家を明け**ワタ**した。
10 無責任な報道に**ゲキド**する。
11 **トノサマ**商売で店をつぶした。
12 食べ過ぎて**ハ**き気がする。

13 定刻に**トウチャク**する予定だ。
14 **テンカ**物の少ない食品を選ぶ。
15 毎日**テキド**の運動に努めている。
16 相手のミスで勝ちを**ヒロ**った。
17 冷たい水を一気に飲み**ホ**した。
18 二人は顔立ちがよく**ニ**ている。
19 互いに腹の**サグ**り合いが続いた。
20 新しい**メガネ**をあつらえた。
21 事業の**カクチョウ**を図る。
22 **カクチョウ**高い文章を味わう。
23 薬の効果が**アラワ**れてきた。
24 喜びが顔色に**アラワ**れている。

前人未到（ぜんじんみとう）
「前人」は「昔の人」の意で、「未到」は「いまだ行き着かないこと」の意ですから、「前人未到」は「今までにだれも到達した人がいないこと」という意味になります。
例 前人未到の大記録を達成した。

漢字	読み	画数	部首	部首名	漢字の意味	用例
逃	音 トウ 訓 に(げる) に(がす) のが(す) のが(れる)	9	辶	しんにょう しんにゅう	にげる・さける・まぬかれる	逃走《とうそう》・逃避《とうひ》・逃亡《とうぼう》・逃《に》げ腰《ごし》・夜逃《よに》げ・見逃《みのが》し・一時逃《いちじのが》れ
倒	音 トウ 訓 たお(れる) たお(す)	10	亻	にんべん	さかさまになる・たおれる・一方にかたむく	倒壊《とうかい》・倒産《とうさん》・倒立《とうりつ》・圧倒《あっとう》・一辺倒《いっぺんとう》・傾倒《けいとう》・打倒《だとう》・転倒《てんとう》
唐	音 トウ 訓 から	10	口	くち	とつぜん・中国・でたらめ	唐詩《とうし》・唐突《とうとつ》・唐本《とうほん》・遣唐使《けんとうし》・唐紙《からかみ》・唐草《からくさ》
桃	音 トウ 訓 もも	10	木	きへん	果物のもも	桃源郷《とうげんきょう》・白桃《はくとう》・桃色《ももいろ》・桃《もも》の節句《せっく》
透	音 トウ 訓 す(く) す(かす) す(ける)	10	辶	しんにょう しんにゅう	すきとおる・とおりぬける	透過《とうか》・透視《とうし》・透写《とうしゃ》・透明《とうめい》・浸透《しんとう》・透《す》き通《とお》る・肩透《かたす》かし
盗	音 トウ 訓 ぬす(む)	11	皿	さら	ぬすむ	盗掘《とうくつ》・盗作《とうさく》・盗聴《とうちょう》・盗難《とうなん》・盗品《とうひん》・盗用《とうよう》・盗塁《とうるい》・強盗《ごうとう》
塔	音 トウ 訓 ――	12	土	つちへん	仏骨などを安置する建物・高く細長い建物	管制塔《かんせいとう》・金字塔《きんじとう》・斜塔《しゃとう》・石塔《せきとう/しゃくとう》・鉄塔《てっとう》・仏塔《ぶっとう》・宝塔《ほうとう》
稲	音 トウ 訓 いね いな	14	禾	のぎへん	いね	水稲《すいとう》・晩稲《ばんとう》・陸稲《りくとう》・稲刈《いねか》り・稲作《いなさく》・稲妻《いなずま》・稲光《いなびかり》・稲穂《いなほ》

筆順

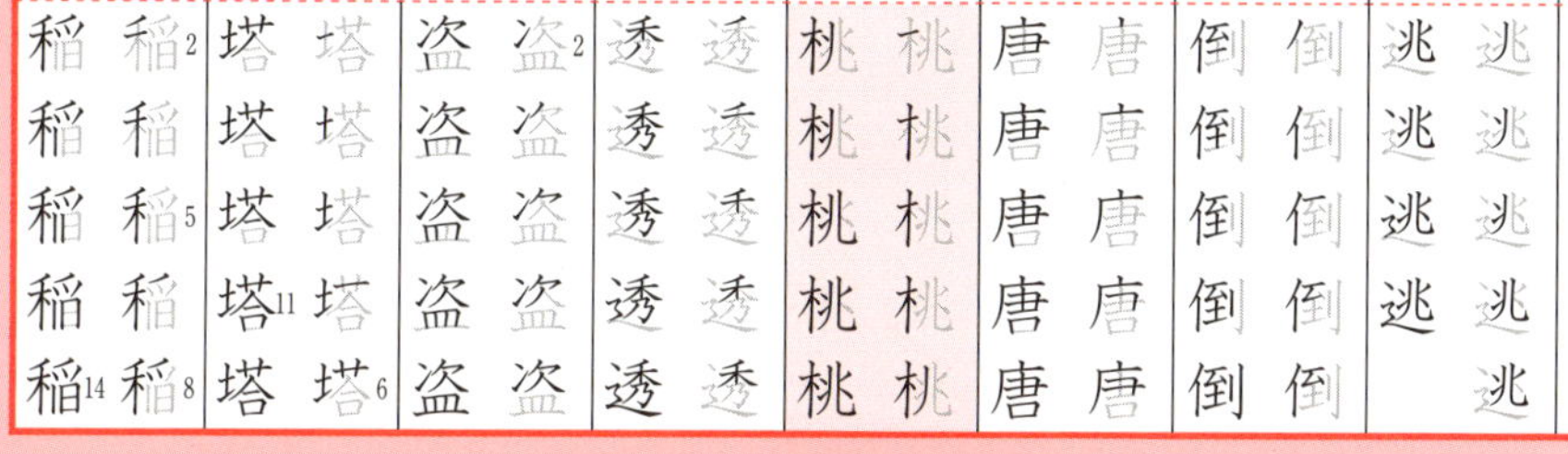

ステップ 26

練習問題

1	2	3	4
/24	/10	/10	/24

月　日

1 次の――線の漢字の読みをひらがなで記せ。

1 遣唐使は大陸文化をもたらした。

2 透き通るような白いはだだ。

3 田んぼの稲刈りを手伝った。

4 管制塔からの指示を受ける。

5 犯人は素早く逃走した。

6 和室の唐紙障子を静かに開ける。

7 独裁政権を打倒する動きがある。

8 ひな祭りに桃の花を飾った。

9 駅前で自転車の盗難にあった。

10 この辺りが水稲耕作の北限だ。

11 逃げるが勝ち。

12 透視する能力で話題の人物だ。

13 輝かしい金字塔をうち立てる。

14 手がすべって花びんを倒した。

15 桃源郷に遊ぶような心地だ。

16 四番打者は見逃しの三振だった。

17 人目を盗んでつまみ食いをする。

18 弟が稲作農家の跡を継ぐ。

19 会社の倒産が相次いでいる。

20 マラソンで選手の一人が倒れた。

21 経営方針を社内に浸透させる。

22 母は私の心を見透かしていた。

23 他人のデザインを盗用する。

24 横目でちらっと盗み見をする。

2 次の――線のカタカナを漢字一字と送りがな（ひらがな）に直せ。

〈例〉問題にコタエル。（答える）

1 過失を認めて心からアヤマッた。（　　）

2 アザヤカナ逆転ホームランだ。（　　）

3 月光が明るく庭をテラシている。（　　）

4 父親と同じ職業をココロザス。（　　）

5 孫は花もハジラウ年ごろだ。（　　）

6 連絡《れんらく》を受けてタダチニ出発した。（　　）

7 優勝の行方をウラナウ試合だ。（　　）

8 お車はいかがイタシましょう。（　　）

9 くつが大きすぎてすぐヌゲル。（　　）

10 駅からの行き方をタズネル。（　　）

3 熟語の構成のしかたには次のようなものがある。

ア 同じような意味の漢字を重ねたもの（岩石）
イ 反対または対応の意味を表す字を重ねたもの（高低）
ウ 上の字が下の字を修飾しているもの（洋画）
エ 下の字が上の字の目的語・補語になっているもの（着席）
オ 上の字が下の字の意味を打ち消しているもの（非常）

次の熟語は右のア～オのどれにあたるか、一つ選び、記号で記せ。

1 渡米（　）
2 未到（　）
3 貯蓄（　）
4 喜怒（　）
5 詳細（　）

6 弾力（　）
7 是非（　）
8 倒立（　）
9 遅刻（　）
10 前途（　）

4 次の——線のカタカナを漢字に直せ。

1 絶好のチャンスを**ニ**がした。
2 **トウメイ**な音色にききほれた。
3 暇を**ヌス**んでは練習していた。
4 冬の夜空に**イナズマ**が走る。
5 **モモ**から生まれた男の子の話だ。
6 台風で家屋が**トウカイ**した。
7 騒音を**ノガ**れ静かな田舎に住む。
8 送電用の高い**テットウ**が見える。
9 **カラクサ**模様のふろしきで包む。
10 松林を**ス**かして沖の波が見える。
11 畑で作るイネを**リクトウ**という。
12 王の墓は**トウクツ**をまぬかれた。
13 容疑者は国外に**トウボウ**した。
14 心労が重なり、ついに**タオ**れた。
15 季節の**ハクトウ**でゼリーを作る。
16 そんなに意地を**ハ**ることはない。
17 **マト**を射た一言に重みがある。
18 会社の業績の**トウケイ**をとる。
19 生徒を**ヒキ**いて写生に行く。
20 祖父は気性の**ハゲ**しい人だった。
21 決戦を前に全員が**フル**い立つ。
22 新人四人が立候補を**トド**け出た。
23 **イギ**を正して式典に参列した。
24 人生の**イギ**について深く考える。

使い分けよう! **あらわす【表・現】**
表す…例 喜びを表す 言葉に表す
（感情などを表に出す）
現す…例 姿を現す 正体を現す
（隠れていた姿や形が見えるようになる）

漢字	読み（音）	読み（訓）	画数	部首	部首名	漢字の意味	用例
踏	トウ	ふ(む) ふ(まえる)	15	足	あしへん	足でふむ・歩く・うけつぐ	踏査《とうさ》・踏襲《とうしゅう》・踏破《とうは》・雑踏《ざっとう》・舞踏《ぶとう》・未踏《みとう》・踏切《ふみきり》・値踏《ねぶ》み
闘	トウ	たたか(う)	18	門	もんがまえ	あらそう・たたかう	闘牛《とうぎゅう》・闘志《とうし》・闘争《とうそう》・闘病《とうびょう》・格闘《かくとう》・健闘《けんとう》・戦闘《せんとう》・奮闘《ふんとう》
胴	ドウ	―	10	月	にくづき	頭と手足を除いた体の部分・物の中央の部分	胴上《どうあ》げ・胴衣《どうい》・胴囲《どうい》・胴着《どうぎ》・胴体《どうたい》・胴回《どうまわ》り・双胴船《そうどうせん》
峠	―	とうげ	9	山	やまへん	上りと下りの境目・勢いのさかんなとき	峠越《とうげご》え・峠道《とうげみち》・峠《とうげ》の茶屋《ちゃや》
突	トツ	つ(く)	8	穴	あなかんむり	ぶつかる・つき出る・とびこむ	突撃《とつげき》・突進《とっしん》・突然《とつぜん》・突破《とっぱ》・煙突《えんとつ》・激突《げきとつ》・追突《ついとつ》・唐突《とうとつ》
鈍	ドン	にぶ(い) にぶ(る)	12	金	かねへん	にぶい・よく切れない・九十度より大きい角	鈍化《どんか》・鈍角《どんかく》・鈍感《どんかん》・鈍器《どんき》・鈍才《どんさい》・鈍重《どんじゅう》・鈍痛《どんつう》・愚鈍《ぐどん》
曇	ドン	くも(る)	16	日	ひ	くもる・雲が空にひろがる	曇色《どんしょく》・曇天《どんてん》・薄曇《うすぐも》り・花曇《はなぐも》り
弐	ニ	―	6	弋	しきがまえ	「二」にかわる字	弐万円《にまんえん》・金弐千円《きんにせんえん》

筆順

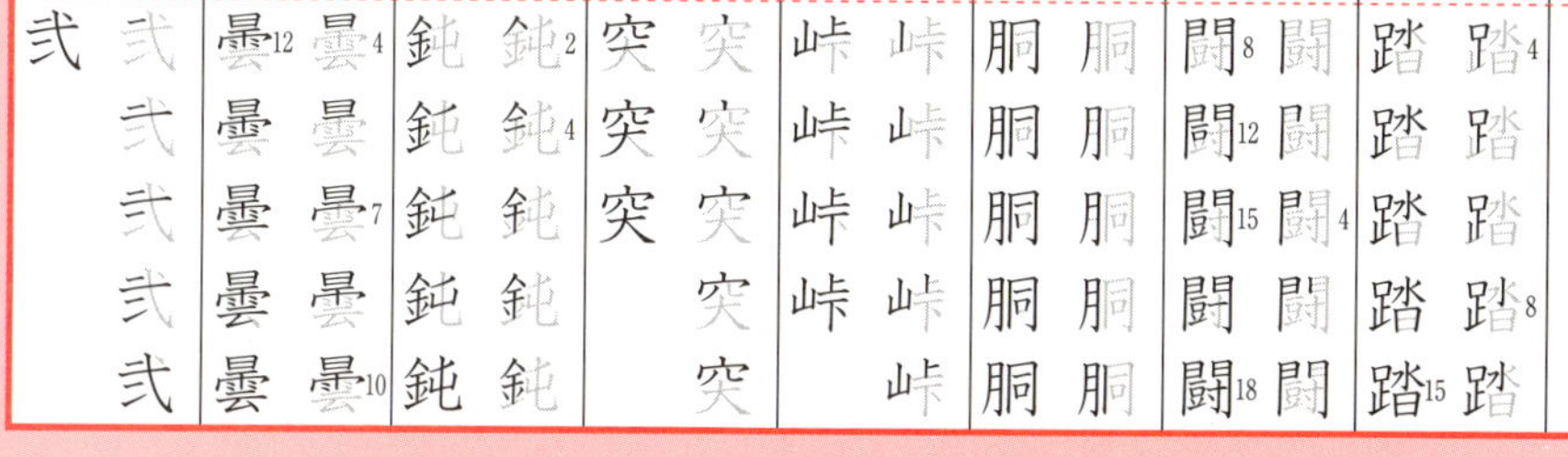

ステップ27

練習問題

1 ／24
2 ／10
3 ／9
4 ／24

月　日

1 次の――線の漢字の読みをひらがなで記せ。

1 難題を前に二の足を踏む。
2 調査員が発火原因を突き止めた。
3 病と闘いながら多くの歌を残す。
4 登山隊は未踏の頂にいどんだ。
5 少年は悲しげに顔を曇らせた。
6 昨夜からの高熱も峠を越した。
7 鈍重そうに見えて動作は素早い。
8 優勝を祝して主将を胴上げする。
9 調査結果を踏まえて対策を練る。
10 突堤に座ってつり糸を垂れる。

11 領収書には金弐万円とある。
12 今日は雨のせいで客足が鈍い。
13 新人選手は最後まで健闘した。
14 曇天が続けば作物に影響がある。
15 都会の雑踏をさけて山里に行く。
16 商品の見せ方に工夫をこらす。
17 ボクシングは人気の格闘技だ。
18 多くの困難と闘ってきた。
19 話があまりにも唐突で驚いた。
20 アンモニアのにおいが鼻を突く。
21 胸の辺りに鈍痛を感じる。
22 話を聞くうちに決心が鈍った。
23 旗ざおの先端に鳥がとまった。
24 川端を散歩するのが日課だ。

2 後の□内のひらがなを漢字に直して（　）に入れ、対義語・類義語を作れ。□内のひらがなは一度だけ使い、漢字一字を記せ。

対義語

1 納入—（　）収

2 否認—（　）認

3 透明—混（　）

4 逃走—追（　）

5 親切—冷（　）

類義語

6 不意—（　）然

7 入念—周（　）

8 注意—警（　）

9 入手—（　）得

10 友好—親（　）

かい・かく・ぜ・せき・ぜん・だく・たん・ちょう・とう・とつ

3 次の——線のカタカナにあてはまる漢字をそれぞれのア〜オから一つ選び、記号で記せ。

1 文中で心境を**タン**々と語っている。（　）

2 友を病で失い悲**タン**にくれる。（　）

3 **タン**正な身のこなしの人だ。（　）

（ア 端　イ 淡　ウ 探　エ 丹　オ 嘆）

4 道場に門**テイ**を集めて練習をする。（　）

5 並大**テイ**の努力ではなかった。（　）

6 防波**テイ**で波の力を弱める。（　）

（ア 弟　イ 底　ウ 抵　エ 堤　オ 提）

7 人前ではいつも取り**ス**ましている。（　）

8 もう一仕事**ス**ましてから帰ろう。（　）

9 **ス**ける布地で作られたシャツだ。（　）

（ア 吸　イ 透　ウ 済　エ 捨　オ 澄）

4 次の——線のカタカナを漢字に直せ。

1 つえを**ツ**きながら山を登る。
2 包丁の切れ味が**ニブ**っている。
3 対戦相手に**トウシ**を燃やした。
4 **トウゲ**の茶屋で一息入れた。
5 経験を**フ**まえて助言する。
6 明日は午後から**クモ**るそうだ。
7 人形の**ドウタイ**に手足をつける。
8 眠気《ねむけ》と**タタカ**って勉強を続ける。
9 **エントツ**が林立する工業地帯だ。
10 証書には二でなく**ニ**の字を使う。
11 先例を**トウシュウ**した形で行う。
12 気温の変化には**ドンカン**だ。
13 職人の**ヒタイ**に汗がにじむ。
14 食べる物にも事欠く**マズ**しさだ。
15 両力士が**ドヒョウ**でにらみあう。
16 卒業後に母校を**オトズ**れた。
17 美の**ケシン**とされる女神である。
18 親の恩になんとか**ムク**いたい。
19 見事な**テンジ**品ばかりだ。
20 儀式は**オゴソ**かに進行した。
21 パスポートの**コウフ**を受ける。
22 昨日付けで法律が**コウフ**された。
23 友にはなむけの言葉を**オク**った。
24 空港まで弟を**オク**っていった。

人跡未踏（じんせきみとう）
「人跡」は「人の足跡」の意味なので、「人跡未踏」は「人がそこを通った跡がない」、つまり「だれもまだ足を踏み入れていないこと」を意味します。「未踏」を「未到」と書き誤らないようにしましょう。
例 人跡未踏の秘境

漢字	読み	画数	部首	部首名	漢字の意味	用例	筆順
悩	音 ノウ 訓 なや(む)　なや(ます)	10	忄	りっしんべん	思いなやむ・なやます	悩殺《のうさつ》・苦悩《くのう》・煩《ぼん》悩《のう》・悩《なや》みの種《たね》	悩 悩 悩 悩 悩 悩 悩 悩 悩 悩
濃	音 ノウ 訓 こ(い)	16	氵	さんずい	味・色などがこい・密度が高い	濃厚《のうこう》・濃紺《のうこん》・濃縮《のうしゅく》・濃淡《のうたん》・濃度《のうど》・濃密《のうみつ》・濃霧《のうむ》	濃4 濃 濃7 濃9 濃 濃 濃13 濃 濃 濃
杯	音 ハイ 訓 さかずき	8	木	きへん	さかずき・器に入ったものを数えることば	一杯《いっぱい》・乾杯《かんぱい》・玉杯《ぎょくはい》・金杯《きんぱい》・苦杯《くはい》・酒杯《しゅはい》・祝杯《しゅくはい》・満杯《まんぱい》	杯 杯 杯 杯 杯 杯 杯 杯
輩	音 ハイ 訓 ―	15	車	くるま	なかま・つぎつぎとならぶ	輩出《はいしゅつ》・後輩《こうはい》・先輩《せんぱい》・同輩《どうはい》・年輩《ねんぱい》	輩 輩4 輩 輩8 輩 輩 輩 輩13 輩 輩
拍	音 ハク　ヒョウ 訓 ―	8	扌	てへん	うつ・たたく・音楽的な調子	拍車《はくしゃ》・拍手《はくしゅ》・拍子《ひょうし》・一拍《いっぱく》・心拍数《しんぱくすう》・脈拍《みゃくはく》・突拍子《とっぴょうし》	拍 拍 拍 拍 拍 拍 拍 拍
泊	音 ハク 訓 と(まる)　と(める)	8	氵	さんずい	舟をとめる・やどり・さっぱりしている	仮泊《かはく》・外泊《がいはく》・宿泊《しゅくはく》・淡泊《たんぱく》・停泊《ていはく》・漂泊《ひょうはく》・旅泊《りょはく》・素《す》泊《ど》まり	泊 泊 泊 泊 泊 泊 泊 泊
迫	音 ハク 訓 せま(る)	8	辶	しんにょう　しんにゅう	強くせまる・せっぱつまる・くるしめる	迫害《はくがい》・迫真《はくしん》・迫力《はくりょく》・圧迫《あっぱく》・気迫《きはく》・脅迫《きょうはく》・緊迫《きんぱく》・切迫《せっぱく》	迫 迫 迫 迫 迫 迫 迫 迫
薄	音 ハク 訓 うす(い)　うす(める)　うす(まる)　うす(らぐ)　うす(れる)	16	艹	くさかんむり	うすい・わずか・あさはか・ちかづく	薄弱《はくじゃく》・薄情《はくじょう》・薄氷《はくひょう》《うすごおり》・希薄《きはく》・軽薄《けいはく》・肉薄《にくはく》・薄味《うすあじ》・薄着《うすぎ》	薄3 薄6 薄 薄9 薄11 薄 薄 薄 薄 薄

ステップ 28 練習問題

1 /24
2 /10
3 /5
4 /24

月　日

1 次の——線の漢字の読みをひらがなで記せ。

1 時間がたって香りが薄まった。
2 先輩が勤務する会社を訪問した。
3 工事完成の祝杯をあげる。
4 港に大きな客船が停泊している。
5 必要に迫られてスーツを買った。
6 有害物質が高濃度で検出された。
7 軽薄な言動で信用を失う。
8 値引き競争に拍車がかかる。
9 ステージから迫力ある声が響く。
10 結婚式で夫婦固めの杯をかわす。
11 短いながらも濃密な時間だった。
12 週末はずっと雨に悩まされた。
13 優秀な人材を輩出する名門校だ。
14 寒い冬でも薄着で通している。
15 声を出して精一杯応援した。
16 友人の家に泊めてもらった。
17 転んだ拍子にくつが脱げた。
18 今日は色の濃い服を着よう。
19 両国の関係は切迫してきた。
20 父が苦悩に満ちた顔をしている。
21 友だちを見捨てるとは薄情だ。
22 手に入れた途端に興味が薄れた。
23 地位や名誉《めいよ》に淡泊な人だ。
24 泊まりがけの旅行は久しぶりだ。

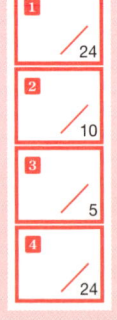

2 熟語の構成のしかたには次のようなものがある。

ア 同じような意味の漢字を重ねたもの（岩石）
イ 反対または対応の意味を表す字を重ねたもの（高低）
ウ 上の字が下の字を修飾しているもの（洋画）
エ 下の字が上の字の目的語・補語になっているもの（着席）
オ 上の字が下の字の意味を打ち消しているもの（非常）

次の熟語は右のア～オのどれにあたるか、一つ選び、記号で記せ。

1 抵触（　）
2 無尽（　）
3 激突（　）
4 闘争（　）
5 着脱（　）
6 曇天（　）
7 需給（　）
8 拍手（　）
9 帰途（　）
10 乾杯（　）

3 次の各文にまちがって使われている同じ読みの漢字が一字ある。上に誤字を、下に正しい漢字を記せ。

	問題	誤	正
1	地理的感覚が鈍いのか、方向識別の能力が極単に低いので、今日も道に迷ってしまった。	（　）	（　）
2	港近くの公園では、大胴芸を演じる芸人のまわりに大勢の家族連れが集まっていた。	（　）	（　）
3	寒さに強い稲を品種改良によって作り出し、冷害への抵向性を高めた。	（　）	（　）
4	車が故障して約束の時間に送れた友人が、息を弾ませながら駆け寄ってきた。	（　）	（　）
5	長年の闘病生活を余義なくされた青年が体験記を出版し、話題を呼んでいる。	（　）	（　）

4 次の——線のカタカナを漢字に直せ。

1 祖母はウスアジの料理を好む。
2 父がサカズキに酒を注ぐ。
3 入院先からガイハク許可が出る。
4 真にセマった演技に圧倒される。
5 ノウタンの対比が美しい絵画だ。
6 手首でミャクハクを測る。
7 台風上陸の可能性はウスらいだ。
8 高校のコウハイが入社してきた。
9 ハクガイを逃れて亡命した。
10 毎朝コいコーヒーを飲む。
11 島ではスドまりの宿をとった。
12 家の冷蔵庫はいつもマンパイだ。

13 妹はナヤみ多き年ごろになった。
14 ハクヒョウを踏む思いで過ごす。
15 トッピョウシもない発言に驚く。
16 ノウゼイは国民の義務の一つだ。
17 かかったヒヨウを計算する。
18 時間をかけて議案をネった。
19 古い約束をまだハたしていない。
20 条約は議会でショウニンされた。
21 会長への就任を強くノゾまれた。
22 新説をトナえる学者が現れた。
23 必ず勝つというキハクを感じる。
24 人間関係がキハクな時代だ。

使い分けよう! **はかる【計・測・量・図】**
計る…例 時間を計る (時間や計画)
測る…例 距離《きょり》を測る (長短や遠近、高低、面積)
量る…例 体重を量る (重さや容積)
図る…例 解決を図る (意図や画策)

漢字	爆	髪	抜	罰	般	販	搬	範
読み	音 バク 訓 —	音 ハツ 訓 かみ	音 バツ 訓 ぬ(く) ぬ(ける) ぬ(かす) ぬ(かる)	音 バツ バチ 訓 —	音 ハン 訓 —	音 ハン 訓 —	音 ハン 訓 —	音 ハン 訓 —
画数	19	14	7	14	10	11	13	15
部首	火	髟	扌	罒	舟	貝	扌	⺮
部首名	ひへん	かみがしら	てへん	あみがしら あみめ よこめ	ふねへん	かいへん	てへん	たけかんむり
漢字の意味	破裂《はれつ》する・「爆弾」の略・はじける	かみ	ぬく・えらびだす・とびぬけている	こらしめ	おなじような物事・(この)たび・(さき)ごろ	品物を売る	荷物をはこぶ・のぞく	てほん・きまり・一定のくぎり
用例	爆音《ばくおん》・爆撃《ばくげき》・爆弾《ばくだん》・爆破《ばくは》・爆発《ばくはつ》・爆風《ばくふう》・原爆《げんばく》・被爆《ひばく》	危機《きき》一髪《いっぱつ》・散髪《さんぱつ》・整髪《せいはつ》・頭髪《とうはつ》・毛髪《もうはつ》・髪型《かみがた》・白髪《しらが》《はくはつ》	抜群《ばつぐん》・抜歯《ばっし》・抜粋《ばっすい》・抜本的《ばっぽんてき》・海抜《かいばつ》・奇抜《きばつ》・選抜《せんばつ》・腰抜《こしぬ》け	罰金《ばっきん》・罰則《ばっそく》・罰当《ばちあ》たり・処罰《しょばつ》・賞罰《しょうばつ》・信賞必罰《しんしょうひつばつ》・天罰《てんばつ》	一般《いっぱん》・今般《こんぱん》・諸般《しょはん》・先般《せんぱん》・全般《ぜんぱん》・百般《ひゃっぱん》	販売《はんばい》・販路《はんろ》・市販《しはん》・直販《ちょくはん》	搬出《はんしゅつ》・搬送《はんそう》・搬入《はんにゅう》・運搬《うんぱん》	範囲《はんい》・範例《はんれい》・規範《きはん》・広範《こうはん》・師範《しはん》・率先垂範《そっせんすいはん》・模範《もはん》
筆順	爆2 爆4 爆8 爆 爆11 爆 爆14 爆 爆17 爆19	髪 髪 髪4 髪 髪7 髪10 髪 髪 髪 髪	抜 抜 抜 抜 抜 抜 抜	罰 罰 罰4 罰 罰7 罰9 罰 罰12 罰 罰	般 般 般 般 般 般 般 般 般 般	販 販 販4 販 販 販 販 販 販 販	搬 搬 搬 搬5 搬 搬8 搬 搬 搬 搬13	範2 範 範6 範 範9 範11 範 範 範 範

ステップ 29

練習問題

1	/24
2	/10
3	/9
4	/24

月　日

1 次の――線の漢字の読みをひらがなで記せ。

1 厳正な処罰を求める声が上がる。

2 抜群の歌唱力は今も健在だ。

3 かわいい髪飾りをつけている。

4 車で引っ越しの荷物を運搬する。

5 全世界に原爆の禁止を訴える。

6 まだ市販されていない商品だ。

7 今度の試験範囲は前よりも広い。

8 交通違反をして罰金をはらう。

9 姉は家事全般を器用にこなす。

10 防犯対策に手抜かりがあった。

11 母の頭髪には白いものが目立つ。

12 けが人を急いで病院に搬送する。

13 罰当たりなことだと怒られた。

14 戦時中の不発爆弾が発見された。

15 社会の規範に従って行動する。

16 飛び抜けた能力の持ち主である。

17 諸般の事情により延期する。

18 海外にまで販路を広げる予定だ。

19 チームの成績は低迷している。

20 逆境をはね返す力が欲しい。

21 優秀な学生を各地から選抜する。

22 突然の結婚報告に腰《こし》を抜かした。

23 毎月一回は理容店で散髪をする。

24 鏡の前で髪の毛をとかした。

2

文中の四字熟語の――線のカタカナを漢字に直し、一字で記せ。

1 困難に耐えて時節トウ来を待つ。（　）
2 危機一パツのところで助かった。（　）
3 根本を見失う本末転トウの話だ。（　）
4 行雲リュウ水のごとく生きたい。（　）
5 悪戦苦トウの末、完成した。（　）
6 人事は信賞必バツをむねとする。（　）
7 社員が一チ団結して仕事をした。（　）
8 人跡未トウの密林に分け入る。（　）
9 リン機応変な対応が求められる。（　）
10 家具を二束三モンで売りはらう。（　）

3

次の――線のカタカナにあてはまる漢字をそれぞれのア～オから一つ選び、記号で記せ。

1 急にト血し、救急車で運ばれた。（　）
2 漢字は中国からト来したものだ。（　）
3 友人とはぐれてト方に暮れる。（　）
（ア 途　イ 都　ウ 渡　エ 登　オ 吐）

4 観客はハク真の演技に息をのんだ。（　）
5 道徳観念が希ハクだと言われた。（　）
6 旅館に宿ハクして温泉に入る。（　）
（ア 泊　イ 薄　ウ 博　エ 拍　オ 迫）

7 血は水よりもコいという。（　）
8 正直者はコ金の山を掘り当てた。（　）
9 手のコんだ細工がされている。（　）
（ア 肥　イ 黄　ウ 込　エ 濃　オ 越）

4 次の——線のカタカナを漢字に直せ。

1 秘仏がイッパン公開される。
2 親不孝を続けたバチが当たった。
3 キバツな着想で人を引きつける。
4 新商品を展示場でハンバイする。
5 自らモハンを示すことが大切だ。
6 正月はニホンガミにゆい上げる。
7 美術品を会場にハンニュウした。
8 ガスバクハツの原因を調べる。
9 バッソクを設けて取りしまる。
10 モウハツから血液型を判定する。
11 肩の力をヌいて打席に立った。
12 ハイイロの空が広がっている。
13 ハツマゴのお宮参りに行く。
14 中継地をヘてようやく到着した。
15 エビにコロモをつけて揚《あ》げる。
16 豪雨でカセンが急激に増水した。
17 ジビカで検査を受けた。
18 国家のザイセイ問題を論じる。
19 坂を登るとシカイが開けた。
20 集合時には必ずテンコをとる。
21 期末コウサの時間割を発表する。
22 道路が立体コウサになっている。
23 老いた祖母に寄りソって歩いた。
24 参道にソって土産物屋が並ぶ。

読み方をまちがえやすい漢字

Q…次の語の読み方は? ①反響 ②駆られる ③驚嘆
A…①はんきょう ②か(られる) ③きょうたん
「反響」は「はんごう」、「駆られる」は「かけ(られる)」、「驚嘆」は「けいたん」と読み誤りやすいので注意しましょう。

力だめし

第5回

総得点 /100

評価

A
80点 B
75点 C
70点 D
60点 E

月　日

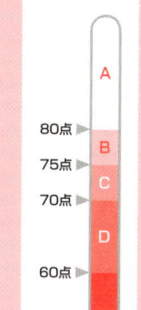

1 次の――線の漢字の読みをひらがなで記せ。

1×10 /10

1 オートバイの爆音がとどろく。
2 くたびれ果てて帰途についた。
3 一人では到底こなせない仕事だ。
4 効率一辺倒のやり方を見直す。
5 試験勉強は今週が峠だ。
6 意表を突く演出が客を驚かせた。
7 鈍角三角形の定義を述べる。
8 薄曇りの寒い日が続いている。
9 多くの奴隷《れい》が綿花農場で働いた。
10 同輩への協力はおしまない。

2 次に示した部首とは異なる部首を持つ漢字をア～オから一つ選び、記号で記せ。

2×5 /10

1 尸〔かばね・しかばね〕
（ア 層　イ 殿　ウ 属　エ 尽　オ 尺）
2 刂〔りっとう〕
（ア 側　イ 前　ウ 劇　エ 到　オ 列）
3 口〔くち〕
（ア 唐　イ 右　ウ 司　エ 舌　オ 古）
4 二〔に〕
（ア 弐　イ 二　ウ 五　エ 井　オ 互）
5 罒〔あみがしら・あみめ・よこめ〕
（ア 署　イ 罰　ウ 買　エ 罪　オ 置）

3

次の——線のカタカナにあてはまる漢字をそれぞれのア～オから一つ選び、記号で記せ。

1×10 ／10

1 **トウ**品を売っていた者がつかまる。
2 新たな金字**トウ**を打ちたてた。
3 **トウ**事者だという意識に欠ける。
（ア 塔　イ 島　ウ 等　エ 当　オ 盗）

4 世界に名声を**ハク**した演奏家だ。
5 気**ハク**のこもった演説だった。
6 その歌手に盛大な**ハク**手を送った。
7 入浴剤でお湯が**ハク**濁している。
（ア 博　イ 白　ウ 拍　エ 迫　オ 薄）

8 勝利の祝**ハイ**をあげる。
9 自画像の**ハイ**景を青くぬる。
10 映画**ハイ**優になるのが夢だ。
（ア 拝　イ 肺　ウ 俳　エ 杯　オ 背）

4

1～5の三つの□に共通する漢字を入れて熟語を作れ。漢字はア～コから一つ選び、記号で記せ。

2×5 ／10

1 □突・□草・□詩
2 諸□・一□・全□
3 □体・□衣・□上げ
4 淡□・外□・宿□
5 水□・□光・□作

ア 煙　イ 皆　ウ 稲　エ 般　オ 為
カ 唐　キ 泊　ク 違　ケ 明　コ 胴

5 熟語の構成のしかたには次のようなものがある。

1×10 ／10

ア 同じような意味の漢字を重ねたもの（岩石）
イ 反対または対応の意味を表す字を重ねたもの（高低）
ウ 上の字が下の字を修飾しているもの（洋画）
エ 下の字が上の字の目的語・補語になっているもの（着席）
オ 上の字が下の字の意味を打ち消しているもの（非常）

次の熟語は右のア～オのどれにあたるか、一つ選び、記号で記せ。

1 添加（　）
2 補欠（　）
3 激怒（　）
4 濁流（　）
5 珍奇（　）
6 未踏（　）
7 濃淡（　）
8 整髪（　）
9 販売（　）
10 興亡（　）

6 後の［　］内のひらがなを漢字に直して（　）に入れ、対義語・類義語を作れ。［　］内のひらがなは一度だけ使い、漢字一字を記せ。

1×10 ／10

対義語

1 禁止—（　）可
2 追跡—（　）亡
3 正統—異（　）
4 容易—困（　）
5 歓喜—苦（　）

類義語

6 輸送—運（　）
7 標高—海（　）
8 冷静—（　）着
9 早速—（　）座
10 継承—踏（　）

［きょ・しゅう・そく・たん・ちん・とう・なん・のう・ばつ・ぱん］

7

次の（　）内に入る適切な語を、後の［　］の中から選び、漢字に直して四字熟語を完成せよ。

2×10　／20

1 力戦奮（　）

2 一（　）一動

3 三寒四（　）

4 弱（　）強食

5 前途（　）望

6 前後不（　）

7 率先垂（　）

8 七（　）八倒

9 談（　）風発

10 青息（　）息

［おん・かく・きょ・てん・と・とう・にく・はん・ゆう・ろん］

8

次の——線のカタカナを漢字に直せ。

2×10　／20

1 兄はとかく**ヨワタ**りが下手だ。（　）

2 チーズは**ニュウセイヒン**だ。（　）

3 赤と白を混ぜて**モモイロ**を作る。（　）

4 文学界に異彩を**ハナ**っている。（　）

5 寺で**シャキョウ**にいそしむ。（　）

6 実力を**ハッキ**して大勝した。（　）

7 紫外線の**トウカ**性を調べる。（　）

8 書画の**テンラン**会が始まった。（　）

9 両親の愛に**ツツ**まれて成長した。（　）

10 **フウフ**は今年銀婚式を迎える。（　）

漢字	読み	画数	部首	部首名	漢字の意味	用例	筆順
繁	音 ハン / 訓 —	16	糸	いと	しげる・ふえる・さかん・わずらわしい	繁栄《はんえい》・繁《はん》華《か》街《がい》・繁雑《はんざつ》・繁盛《はんじょう》・繁殖《はんしょく》・繁忙《はんぼう》・繁茂《はんも》・頻繁《ひんぱん》	2 16
盤	音 バン / 訓 —	15	皿	さら	大皿・大きな岩石・土台となるもの	盤石《ばんじゃく》・円盤《えんばん》・基盤《きばん》・吸盤《きゅうばん》・地盤《じばん》・終盤《しゅうばん》・序盤《じょばん》・落盤《らくばん》	3 5 8 14
彼	音 ヒ / 訓 かれ かの	8	彳	ぎょうにんべん	あの人・あの・向こうの	彼我《ひが》・彼岸《ひがん》・彼《かれ》ら・彼女《かのじょ》	
疲	音 ヒ / 訓 つか(れる)	10	疒	やまいだれ	くたびれる・おとろえる	疲弊《ひへい》・疲労《ひろう》・気疲《きづか》れ	
被	音 ヒ / 訓 こうむ(る)	10	衤	ころもへん	こうむる・される・かぶせる・着るもの	被害《ひがい》・被疑者《ひぎしゃ》・被告《ひこく》・被災《ひさい》・被写体《ひしゃたい》・被服《ひふく》・損害《そんがい》を被《こうむ》る	
避	音 ヒ / 訓 さ(ける)	16	辶	しんにょう しんにゅう	よける・さける・にげかくれする	避暑《ひしょ》・避難《ひなん》・避雷針《ひらいしん》・回避《かいひ》・忌避《きひ》・退避《たいひ》・逃避《とうひ》・不可避《ふかひ》	6 8 10 12 15
尾	音 ビ / 訓 お	7	尸	かばね しかばね	しっぽ・うしろ・おわり	尾行《びこう》・尾翼《びよく》・語尾《ごび》・首尾《しゅび》・末尾《まつび》・尾頭《おかしら》・尾根《おね》・尻尾《しっぽ》	
微	音 ビ / 訓 —	13	彳	ぎょうにんべん	わずか・ひそかに・おとろえる	微細《びさい》・微生物《びせいぶつ》・微動《びどう》・微熱《びねつ》・微妙《びみょう》・微力《びりょく》・機微《きび》・軽微《けいび》	3 11

ステップ30 練習問題

1	2	3	4
／24	／10	／10	／24

月　日

1　次の——線の漢字の読みをひらがなで記せ。

1　トンネルで落盤事故があった。
2　微力ながらお手伝いします。
3　弟は首尾よく志望校に合格した。
4　大通りを避けて回り道をする。
5　眠《ねむ》っても前日の疲労が抜けない。
6　決勝戦は序盤から大荒れだった。
7　商売の利益は微微たるものだ。
8　暑さ寒さも彼岸まで。
9　最初に繁雑な事務を片付けた。
10　投資家は多大な損害を被った。

11　夏休みは避暑地で過ごした。
12　円盤状の不思議な雲が出ていた。
13　旅の疲れも見せず会見に応じた。
14　仲間は尾根伝いに歩いている。
15　ゾウリムシは微生物の一種だ。
16　遠くに旅立つ彼を駅頭で見送る。
17　ビルの倒壊で付近に被害が及ぶ。
18　渡り鳥が繁殖地から飛び立った。
19　被写体にカメラを構える。
20　自然の恩恵を被って生きている。
21　逃避せずに現実と向き合う。
22　塩からい食べ物を避ける。
23　見たこともない珍品だ。
24　南国の珍しい果物を食べた。

2 次の漢字の部首をア～エから一つ選び、記号で記せ。

1 盤（ア舟　イ殳　ウ又　エ皿）（　）
2 尾（ア尸　イ厂　ウノ　エ毛）（　）
3 扇（ア一　イ戸　ウ尸　エ羽）（　）
4 恥（ア耳　イ｜　ウ丶　エ心）（　）
5 丹（ア冂　イ舟　ウ丶　エ一）（　）
6 殿（ア尸　イハ　ウ殳　エ又）（　）
7 致（ア厶　イ土　ウ至　エ攵）（　）
8 疲（ア疒　イ广　ウ冫　エ皮）（　）
9 唐（ア广　イ厂　ウ十　エ口）（　）
10 罰（ア罒　イ言　ウ刂　エ亅）（　）

3 後の□内のひらがなを漢字に直して（　）に入れ、対義語・類義語を作れ。□内のひらがなは一度だけ使い、漢字一字を記せ。

対義語

1 直面―回（　）
2 先頭―後（　）
3 航行―停（　）
4 希薄―（　）密
5 加熱―冷（　）

類義語

6 土台―基（　）
7 奇抜―（　）飛
8 努力―奮（　）
9 未来―前（　）
10 手本―模（　）

きゃく・と・とう・とっ・のう・はく・はん・ばん・ひ・び

4 次の――線のカタカナを漢字に直せ。

1 利用者が迷惑《めいわく》を**コウム**った。

2 野鳥園に**オ**の長い鳥がいた。

3 優しい**カノジョ**の横顔を見る。

4 人生には**サ**けて通れぬ道もある。

5 **ヒサイ**地で救援活動を行う。

6 野の花が初夏の**ビフウ**にそよぐ。

7 待ち時間が長くて**ツカ**れた。

8 民主主義の**キバン**を育てよう。

9 犯人をひそかに**ビコウ**した。

10 **カレ**からの電話を心待ちにする。

11 通信障害の**カイヒ**策を公開する。

12 国際都市として**ハンエイ**した。

13 旅は道連れ、世は**ナサ**け。

14 **ネフダ**より五百円安く買った。

15 不用意な言動を強く**ヒハン**する。

16 見る**タビ**になつかしく思い出す。

17 非科学的な**メイシン**に過ぎない。

18 筆者の**ハクシキ**ぶりに感心する。

19 **トクハイン**からの報告が届いた。

20 正月には**カドマツ**を立てる。

21 若いのに**トク**が備わっている。

22 にくめない**トク**な性格だ。

23 最新作は評価が**ワ**かれた。

24 駅で級友と**ワカ**れて帰宅した。

使い分けよう！ **ひなん【避難・非難】**

避難…例 避難場所 避難勧告 （災難を避ける）

非難…例 非難を浴びる 非難決議 （人の過失などを責める）

※「非難」は「批難」とも書く

漢字	読み	画数	部首	部首名	漢字の意味	用例	筆順
匹	音 ヒツ 訓 ひき	4	匸	かくしがまえ	対等なこと・いやしい・ひき	匹敵《ひってき》・匹馬《ひつば》・匹夫《ひっぷ》・馬匹《ばひつ》・一匹《いっぴき》	匹 匹 匹 匹
描	音 ビョウ 訓 えが(く) か(く)	11	扌	てへん	えがく・うつす	描写《びょうしゃ》・描線《びょうせん》・寸描《すんびょう》・素描《そびょう》・点描《てんびょう》・絵描《えか》き	描 描 描 描 描 描 描 描 描 描11
浜	音 ヒン 訓 はま	10	氵	さんずい	はま・きし・はて	海浜《かいひん》・浜風《はまかぜ》・浜千鳥《はまちどり》・浜辺《はまべ》・砂浜《すなはま》	浜 浜 浜 浜 浜 浜 浜 浜 浜 浜
敏	音 ビン 訓 —	10	攵	のぶん ぼくづくり	すばやい・さとい・つとめる	敏活《びんかつ》・敏感《びんかん》・敏速《びんそく》・敏腕《びんわん》・鋭敏《えいびん》・過敏《かびん》・機敏《きびん》	敏 敏 敏 敏 敏 敏 敏 敏 敏 敏
怖	音 フ 訓 こわ(い)	8	忄	りっしんべん	おびえる・こわがる・おどす	恐怖《きょうふ》・怖《こわ》いもの知《し》らず	怖 怖 怖 怖 怖 怖 怖 怖
浮	音 フ 訓 う(く) う(かれる) う(かぶ) う(かべる)	10	氵	さんずい	うく・うかぶ・よりどころがない・さまよう	浮上《ふじょう》・浮沈《ふちん》・浮動票《ふどうひょう》・浮薄《ふはく》・浮遊《ふゆう》・浮力《ふりょく》・浮気《うわき》・浮《うわ》つく	浮 浮 浮 浮 浮 浮 浮 浮 浮 浮
普	音 フ 訓 —	12	日	ひ	ゆきわたる・なみの・つね	普及《ふきゅう》・普請《ふしん》・普段《ふだん》・普通《ふつう》・普遍《ふへん》	普2 普 普 普 普 普 普 普 普 普12
腐	音 フ 訓 くさ(る) くさ(れる) くさ(らす)	14	肉	にく	ものがくさる・古くさい・苦心する	腐食《ふしょく》・腐心《ふしん》・腐敗《ふはい》・陳腐《ちんぷ》・豆腐《とうふ》・防腐剤《ぼうふざい》・腐《くさ》れ縁《えん》	腐2 腐 腐5 腐 腐 腐 腐10 腐 腐 腐14

ステップ 31

練習問題

1	/24
2	/10
3	/10
4	/24

月　日

1 次の――線の漢字の読みをひらがなで記せ。

1 情勢を鋭敏によむ才能がある。（　　）

2 彼女の顔は恐怖で青ざめていた。（　　）

3 会社の浮沈をかけた大事業だ。（　　）

4 ふすまに梅が描かれている。（　　）

5 おだやかな春の浜辺を散策する。（　　）

6 彼の行為はまさに匹夫の勇だ。（　　）

7 長雨で野菜が腐ってしまった。（　　）

8 水道は全国に普及している。（　　）

9 流行に敏感に反応する。（　　）

10 怖いもの見たさで谷底をのぞく。（　　）

11 有名画家の素描集が出版された。（　　）

12 腐敗した政治と決別する機会だ。（　　）

13 ふとした拍子に名案が浮かんだ。（　　）

14 海浜の宿に泊まることに決めた。（　　）

15 木に数匹のセミがとまっている。（　　）

16 彼は絵描きになる夢を果たした。（　　）

17 浮動票を取り込んで当選した。（　　）

18 お祭りで町中が浮かれている。（　　）

19 鉄骨の腐食が進んでいる。（　　）

20 ふて腐れた態度で返事もしない。（　　）

21 姉妹でピアノの連弾をする。（　　）

22 初めての海外旅行に胸が弾んだ。（　　）

23 通勤には至極便利な場所だ。（　　）

24 至れり尽くせりの歓待ぶりだ。（　　）

2 次のAとBの漢字を一字ずつ組み合わせて二字の熟語を作れ。Bの漢字は必ず一度だけ使う。また、AとBどちらの漢字が上でもよい。

A

1 用　2 豆　3 盤　4 敏　5 怒
6 避　7 闘　8 鈍　9 量　10 然

B

争　腐　角　喜　微
終　機　寒　突　途

1（　　）
2（　　）
3（　　）
4（　　）
5（　　）
6（　　）
7（　　）
8（　　）
9（　　）
10（　　）

3 次の——線のカタカナ「トウ」をそれぞれ異なる漢字に直せ。

1 議案は圧**トウ**的多数で可決された。（　　）
2 先行きは依然として不**トウ**明だ。（　　）
3 まるで**トウ**源郷のような風景だ。（　　）
4 他の作品からの**トウ**作と判明した。（　　）
5 会議での**トウ**突な質問にとまどう。（　　）
6 お寺の境内に仏**トウ**が建てられた。（　　）
7 国を追われて**トウ**亡生活を送る。（　　）
8 彼は犬ぞりで氷原を**トウ**破した。（　　）
9 木枯らしが冬の**トウ**来を告げる。（　　）
10 飲食店で乱**トウ**騒ぎが起きた。（　　）

4 次の——線のカタカナを漢字に直せ。

1 故郷の風景を思い**エガ**く。

2 一気に首位に**フジョウ**した。

3 プロに**ヒッテキ**する実力がある。

4 気を**クサ**らしても仕方がない。

5 **スナハマ**は子どもでいっぱいだ。

6 チケットは**フツウ**郵便で届いた。

7 彼は**コワ**いもの知らずの新人だ。

8 大自然を**ビョウシャ**した絵だ。

9 刺激に対して**カビン**に反応する。

10 相手チームは**ウ**き足立っていた。

11 **トウフ**をさいの目に切った。

12 妹が子犬を**イッピキ**拾ってきた。

13 **ヒミツ**にしてだれにも教えない。

14 費用は会社が**フタン**する。

15 高原の夜は**ヒ**えるので注意する。

16 お祝いの**ハナタバ**が届けられた。

17 事情が**フクザツ**にからみ合う。

18 失礼のない**フクソウ**を心がける。

19 **ハリ**ほどのことを棒ほどに言う。

20 自分の非を認めて**アヤマ**った。

21 海辺のホテルに**イッパク**した。

22 三小節目に**イッパク**休みが入る。

23 社員は男性が大半を**シ**めている。

24 暗くなったらカーテンを**シ**める。

使い分けよう! **ほしょう【保証・保障】**

保証…例 品質を保証する 保証人 (まちがいがないとうけ合う)

保障…例 人権を保障する 社会保障 (ある状態を保護する)

漢字	読み	画数	部首	部首名	漢字の意味	用例
敷	音 フ 高 訓 し(く)	15	攵	のぶん ぼくづくり	しきならべる・ひろげていく	敷設《ふせつ》・敷石《しきいし》・敷布《しきふ》・敷物《しきもの》・河川敷《かせんしき》・座敷《ざしき》・屋敷《やしき》・桟敷《さじき》
膚	音 フ 訓 —	15	肉	にく	はだ・ものの表面・あさい	完膚《かんぷ》・皮膚《ひふ》
賦	音 フ 訓 —	15	貝	かいへん	とりたてる・わけあたえる・うまれつき	賦課《ふか》・賦税《ふぜい》・賦与《ふよ》・月賦《げっぷ》・天賦《てんぷ》
舞	音 ブ 訓 ま(う) まい	15	舛	まいあし	まい・おどる・はげます	舞楽《ぶがく》・舞曲《ぶきょく》・舞台《ぶたい》・舞踏《ぶとう》・舞踊《ぶよう》・鼓舞《こぶ》・乱舞《らんぶ》・舞扇《まいおうぎ》
幅	音 フク 訓 はば	12	巾	はばへん きんべん	はば・へり・ふち・掛《か》け軸《じく》	幅員《ふくいん》・画幅《がふく》・振幅《しんぷく》・全幅《ぜんぷく》・増幅《ぞうふく》・幅跳《はばと》び・道幅《みちはば》・横幅《よこはば》
払	音 フツ 高 訓 はら(う)	5	扌	てへん	すっかりなくなる・夜があける	払暁《ふつぎょう》・払底《ふってい》・支払《しはら》い・出払《ではら》う・前払《まえばら》い
噴	音 フン 訓 ふ(く)	15	口	くちへん	ふきだす・強い勢いで内から外に出る	噴煙《ふんえん》・噴火《ふんか》・噴射《ふんしゃ》・噴出《ふんしゅつ》・噴水《ふんすい》・噴霧器《ふんむき》・火《ひ》を噴《ふ》き出《だ》す
柄	音 ヘイ 高 訓 がら え	9	木	きへん	取っ手・いきおい・もよう・材料	横柄《おうへい》・家柄《いえがら》・作柄《さくがら》・手柄《てがら》・人柄《ひとがら》・身柄《みがら》・金《かな》づちの柄《え》

筆順

ステップ 32

練習問題

1	/24
2	/10
3	/10
4	/24

月　日

1 次の――線の漢字の読みをひらがなで記せ。

1 桜の図案の美しい舞扇を買った。（　　）
2 温泉が勢いよく噴き上がる。（　　）
3 従業員は全員、出払っている。（　　）
4 税は国民に賦課されている。（　　）
5 ひしゃくの柄をつけ替えた。（　　）
6 テレビの報道で不安が増幅する。（　　）
7 陣頭に立って士気を鼓舞する。（　　）
8 板の間に座ぶとんを敷いた。（　　）
9 完膚なきまでに論破された。（　　）
10 日ごろの不平不満が噴出した。（　　）

11 先人たちの業績に敬意を払う。（　　）
12 彼には画家として天賦の才がある。（　　）
13 何度も手柄話を聞かされた。（　　）
14 幅の狭い道で車が立ち往生した。（　　）
15 正直な人柄で好かれている。（　　）
16 洗い立ての敷布が心地よい。（　　）
17 看過できない事態が発生した。（　　）
18 知人の車に便乗させてもらった。（　　）
19 街灯の下で羽虫が乱舞する。（　　）
20 落ち葉が舞い散る公園を走る。（　　）
21 火山から噴煙が上がっている。（　　）
22 山頂から火が噴き出した。（　　）
23 主将に全幅の信頼《しんらい》を置く。（　　）
24 多分野にわたり幅広く活動する。（　　）

2

次の——線のカタカナを漢字一字と送りがな（ひらがな）に直せ。

〈例〉問題に**コタエル**。（答える）

1 冬が**オトズレル**ころに会おう。（　　）

2 **ナヤマシイ**青春の日々を送る。（　　）

3 水で二倍に**ウスメル**とよい。（　　）

4 助け合いの精神を**ヤシナウ**。（　　）

5 強く心に**セマル**ものがあった。（　　）

6 トビが輪を**エガイ**て飛んだ。（　　）

7 上京した友人を一晩**トメル**。（　　）

8 相手の攻撃を軽く**シリゾケ**た。（　　）

9 一行**ヌカシ**て読んでしまった。（　　）

10 いささか常識に**カケル**言動だ。（　　）

3

後の□内のひらがなを漢字に直して（　）に入れ、対義語・類義語を作れ。□内のひらがなは一度だけ使い、漢字一字を記せ。

対義語

1 陽気—（　）気

2 鈍重—鋭（　）

3 巨大—（　）細

4 沈殿—（　）遊

5 終盤—（　）盤

類義語

6 中断—（　）絶

7 綿密—周（　）

8 完治—全（　）

9 屈指—（　）群

10 使命—任（　）

いん・かい・じょ・と・とう・ばつ・び・びん・ふ・む

4 次の——線のカタカナを漢字に直せ。

1 正月にしし**マイ**が行われる。
2 島の火山は百年前に火を**フ**いた。
3 **オオハバ**な改革を期待している。
4 彼は**コガラ**で動きの速い選手だ。
5 服に付いたほこりを**ハラ**う。
6 今日は妹の晴れ**ブタイ**だ。
7 借金を**ゲップ**で返済している。
8 参道に玉砂利を**シ**き詰めた。
9 感情の**シンプク**が大きい人だ。
10 兄は**ヒフ**科に通院している。
11 突風でかさの**エ**が折れる。
12 **フンスイ**の前で待ち合わせる。
13 入院中の知人を**ミマ**った。
14 合格して**ウチョウテン**になる。
15 料理と**ウツワ**を同時に楽しむ。
16 ツバメのひなが**スダ**っていく。
17 秋の**ケハイ**が濃くなってきた。
18 彼女の語学力に皆が舌を**マ**いた。
19 役員の中でも**ベッカク**の扱いだ。
20 騒動について**ゲンキュウ**した。
21 上司は**ゲンキュウ**処分となった。
22 鉄砲《てっぽう》の**タマ**が的に当たる。
23 目の**タマ**が飛び出そうな値段だ。
24 投手は切れのある**タマ**を投げた。

率先垂範（そっせんすいはん）
「人の先頭に立って手本を見せること」という意味です。「率先」は人に先立つこと、「垂範」は模範を示すこと。「卒先垂範」と書き誤らないように注意しましょう。

漢字	読み	画数	部首	部首名	漢字の意味	用例
壁	音 ヘキ 訓 かべ	16	土	つち	かべ・がけ・とりで	壁画《へきが》・壁面《へきめん》・岸壁《がんぺき》・城壁《じょうへき》・絶壁《ぜっぺき》・壁紙《かべがみ》・壁土《かべつち》・白壁《しらかべ》
捕	音 ホ 訓 と(らえる) と(らわれる) と(る) つか(まえる) つか(まる)	10	扌	てへん	しっかりとつかまえる・めしとる	捕獲《ほかく》・捕球《ほきゅう》・捕鯨《ほげい》・捕手《ほしゅ》・逮捕《たいほ》・追捕《ついほ》・獲物《えもの》を捕《と》らえる
舗	音 ホ 訓 ―	15	舌	した	しきつめる・みせ	舗石《ほせき》・舗装《ほそう》・舗道《ほどう》・店舗《てんぽ》・本舗《ほんぽ》・老舗《しにせ》《ろうほ》
抱	音 ホウ 訓 だ(く) いだ(く) かか(える)	8	扌	てへん	だきかかえる・心にもつ	抱負《ほうふ》・抱腹絶倒《ほうふくぜっとう》・抱擁《ほうよう》・介抱《かいほう》・辛抱《しんぼう》・一抱《ひとかか》え
峰	音 ホウ 訓 みね	10	山	やまへん	みね・高い山・刀の背	最高峰《さいこうほう》・主峰《しゅほう》・秀峰《しゅうほう》・霊峰《れいほう》・連峰《れんぽう》・峰打《みねう》ち
砲	音 ホウ 訓 ―	10	石	いしへん	弾丸を発射する兵器	砲煙《ほうえん》・砲丸《ほうがん》・砲撃《ほうげき》・砲弾《ほうだん》・号砲《ごうほう》・大砲《たいほう》・鉄砲《てっぽう》・発砲《はっぽう》
忙	音 ボウ 訓 いそが(しい)	6	忄	りっしんべん	いそがしい・心が落ちつかない	忙殺《ぼうさつ》・忙中《ぼうちゅう》・多忙《たぼう》・繁忙《はんぼう》・大忙《おおいそが》し
坊	音 ボウ ボッ 訓 ―	7	土	つちへん	僧の住む家・男の子	坊主《ぼうず》・坊門《ぼうもん》・坊《ぼっ》ちゃん・宿坊《しゅくぼう》・僧坊《そうぼう》・寝坊《ねぼう》・風来坊《ふうらいぼう》

筆順

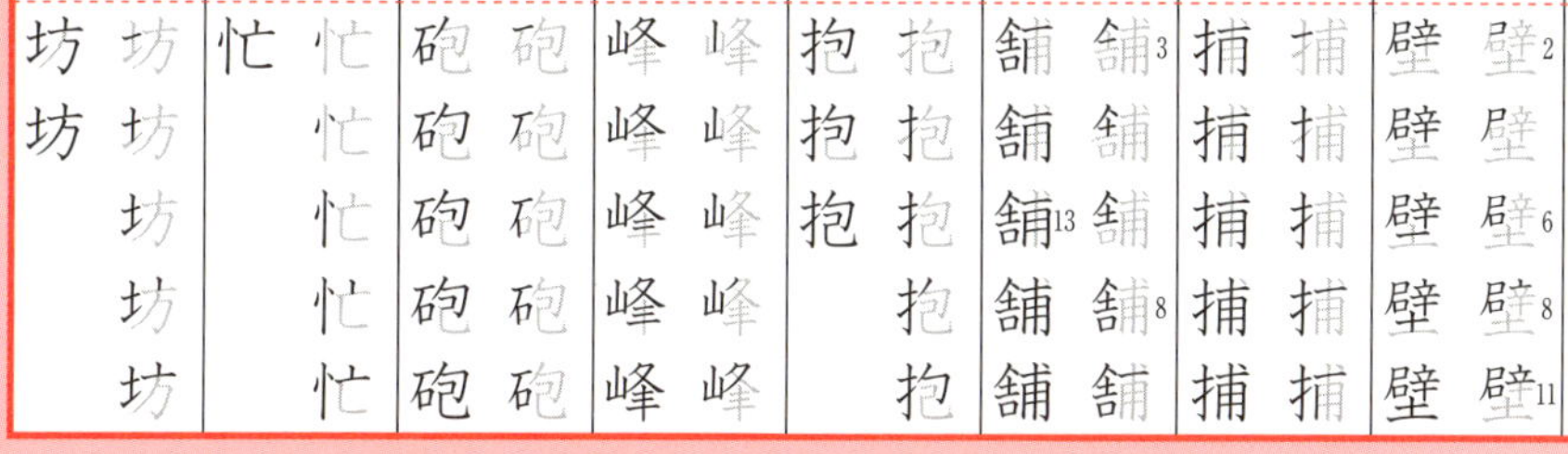

ステップ33

練習問題

1	／24
2	／10
3	／10
4	／24

月　日

1 次の――線の漢字の読みをひらがなで記せ。

1 号砲を合図に出発した。

2 雲がたなびく峰を目指して歩く。

3 そそり立つ絶壁をよじ登る。

4 暗やみの鉄砲。

5 坊ちゃん一緒《いっしょ》に遊びましょう。

6 一年で今が一番多忙な時期だ。

7 八千メートル級の高峰が連なる。

8 弟が森でカブトムシを捕まえた。

9 病人を手厚く介抱する。

10 寺院の宿坊で一夜を明かす。

11 彼女の研究は壁に突き当たった。

12 舗装工事で通行止めになった。

13 貴重な古代遺跡が砲撃される。

14 仕事に追われて毎日忙しい。

15 朝日を受けて白雪の連峰が輝く。

16 住民が協力してサルを捕獲した。

17 大きな荷物を抱えて帰ってきた。

18 山寺の僧坊は静まっていた。

19 船を港の岸壁に係留する。

20 父が仁王立ちで待ち構えていた。

21 野球部では捕手を務めている。

22 わなをしかけて獲物を捕る。

23 級友と新年の抱負を語り合う。

24 わが子を強く抱きしめる。

2

文中の四字熟語の――線のカタカナを漢字に直し、一字で記せ。

1 **門戸カイ放**政策を推し進める。
2 質問の**集中ホウ火**を浴びた。
3 うまく立ち回って**責任回ヒ**する。
4 **用意周トウ**な計画を立てる。
5 そんなに**意志ハク弱**では困る。
6 **一バツ百戒**の意味で彼をしかる。
7 **議ロン百出**で収まりがつかない。
8 地域のための**人材ハイ出**を図る。
9 **前ト洋洋**たる若者をはげます。
10 **金城鉄ペキ**の守りを破った。

3

次の――線のカタカナ「フ」をそれぞれ異なる漢字に直せ。

1 パソコンは急速にフ及した。
2 今も愛唱されるフ朽の名曲だ。
3 防フ剤を加えて長持ちさせる。
4 政府から助成金が給フされた。
5 人気商品を豊フにそろえた。
6 恐フにおののいて、体が震える。
7 駅前で試供品を配フする。
8 カエルは皮フでも呼吸している。
9 水中の物体にはフ力がはたらく。
10 デパートのフ人服売り場に行く。

4 次の――線のカタカナを漢字に直せ。

1 母親が赤ちゃんを**ダ**いている。
2 里を荒らすイノシシを**ト**らえた。
3 極彩色の**ヘキガ**が発見された。
4 村は稲の刈り入れで**イソガ**しい。
5 この山は山脈の**シュホウ**だ。
6 入学を前に不安を**イダ**いている。
7 改装中は仮**テンポ**で営業する。
8 指名手配中の犯人が**ツカ**まった。
9 歓迎の**シュクホウ**が鳴り響いた。
10 年越しの準備に**ボウサツ**される。
11 この道は**ミネ**伝いに続いている。
12 **ネボウ**して朝食をとり損《そこ》ねた。

13 **シラカベ**の続く古い町並みだ。
14 難題を**カカ**え込んでしまった。
15 **シニセ**ののれんを守ってきた。
16 新作は厳しい**ヒヒョウ**を受けた。
17 一軒一軒**ホウモン**して話を聞く。
18 多くの人が態度を**ホリュウ**した。
19 卒業という人生の**フシメ**に立つ。
20 まとめて買うと**ネビ**きされる。
21 朝日の当たる**マドベ**に座った。
22 ギターの美しい**ネイロ**を楽しむ。
23 漢字仮名**マ**じり文で書かれる。
24 赤と白の絵の具を**マ**ぜる。

使い分けよう！ **とる【取・採・執・捕】**
取る…例 手に取る 汚れを取る （広く一般的に用いる）
採る…例 山菜を採る 決を採る （つみとる・採用する）
執る…例 指揮を執る 事務を執る （道具を持って作業する）
捕る…例 魚を捕る 飛球を捕る （追いかけて捕まえる）

漢字	読み	画数	部首	部首名	漢字の意味	用例	筆順
防	音 ボウ 訓 —	8	月	にくづき	動物の体内にあるあぶら	脂肪《しぼう》	防 防 防 防 防 防 防 防
冒	音 ボウ 訓 おか(す)	9	曰	ひらび いわく	たちむかう・けがす・害される・はじめ	冒険《ぼうけん》・冒頭《ぼうとう》・感冒《かんぼう》・危険《きけん》を冒《おか》す	冒 冒 冒 冒 冒 冒 冒 冒 冒
傍	音 ボウ 訓 かたわ(ら) 高	12	イ	にんべん	わき・そば・(漢字の)つくり	傍観《ぼうかん》・傍系《ぼうけい》・傍受《ぼうじゅ》・傍証《ぼうしょう》・傍線《ぼうせん》・傍聴《ぼうちょう》・近傍《きんぼう》・路傍《ろぼう》	傍2 傍4 傍 傍 傍 傍 傍 傍 傍 傍
帽	音 ボウ 訓 —	12	巾	はばへん きんべん	ぼうし・物の頭にかぶるもの	帽子《ぼうし》・帽章《ぼうしょう》・赤帽《あかぼう》・角帽《かくぼう》・学帽《がくぼう》・脱帽《だつぼう》・登山帽《とざんぼう》・破帽《はぼう》	帽 帽 帽 帽5 帽 帽 帽 帽 帽11 帽
凡	音 ボン ハン 高 訓 —	3	几	つくえ	すべて・およそ・ふつうの	凡才《ぼんさい》・凡人《ぼんじん》・凡俗《ぼんぞく》・凡庸《ぼんよう》・凡例《はんれい》・非凡《ひぼん》・平凡《へいぼん》	凡 凡 凡
盆	音 ボン 訓 —	9	皿	さら	おぼん・盂蘭盆会《うらぼんえ》の略・浅くて底のひらたい鉢《はち》	盆踊《ぼんおど》り・盆景《ぼんけい》・盆栽《ぼんさい》・盆石《ぼんせき》・盆地《ぼんち》・旧盆《きゅうぼん》・茶盆《ちゃぼん》・初盆《はつぼん》	盆 盆 盆 盆 盆 盆 盆 盆 盆
慢	音 マン 訓 —	14	忄	りっしんべん	なまける・ゆっくりである・いい気になる	慢心《まんしん》・慢性《まんせい》・我慢《がまん》・緩慢《かんまん》・高慢《こうまん》・自慢《じまん》・怠慢《たいまん》	慢 慢 慢 慢7 慢 慢 慢11 慢 慢 慢
漫	音 マン 訓 —	14	氵	さんずい	水面が広々としている・とりとめのない・みだり	漫画《まんが》・漫才《まんざい》・漫然《まんぜん》・漫談《まんだん》・漫歩《まんぽ》・漫漫《まんまん》・漫遊《まんゆう》・散漫《さんまん》	漫3 漫 漫 漫7 漫 漫 漫11 漫 漫 漫

ステップ 34

練習問題

1	／24
2	／6
3	／10
4	／24

月　日

1 次の――線の漢字の読みをひらがなで記せ。

1 慢心は敗北につながりかねない。
2 自作の盆景の世界に浸る。
3 路傍にかれんな花が咲いている。
4 疲れると注意が散漫になる。
5 父は登山帽をかぶって出かけた。
6 態度が高慢なのできらわれる。
7 平凡ながらも楽しい生活を送る。
8 休日の午後を漫然と過ごした。
9 弟と盆おどりに行く約束をした。
10 危険を冒して進む必要はない。
11 公判前に傍証を固めておきたい。
12 運動不足で皮下脂肪が増えた。
13 祖母の病気は慢性化している。
14 盆地にある町で生まれ育った。
15 まるで漫才のような会話だ。
16 音楽に非凡な才能を持っている。
17 大事な箇所に傍線を引く。
18 会議は冒頭から荒れ模様だった。
19 幾多の困難を経て今の私がある。
20 交通機関は停電で混乱を来した。
21 流行性の感冒に気をつけよう。
22 激しい風雨を冒して出発する。
23 震災後の復興が進む。
24 身も震えるばかりの寒さだった。

2

次の〔　〕から類義語の関係になる組み合わせを一組選び、記号で記せ。

1 〔ア 着服　イ 屈服　ウ 受領　エ 横領〕（　）と（　）

2 〔ア 匹敵　イ 同等　ウ 無敵　エ 反抗〕（　）と（　）

3 〔ア 単身　イ 簡単　ウ 容易　エ 断簡〕（　）と（　）

4 〔ア 繁雑　イ 過多　ウ 多忙　エ 繁忙〕（　）と（　）

5 〔ア 抱負　イ 看護　ウ 看過　エ 介抱〕（　）と（　）

6 〔ア 補足　イ 増加　ウ 追加　エ 候補〕（　）と（　）

3

熟語の構成のしかたには次のようなものがある。

ア 同じような意味の漢字を重ねたもの（岩石）
イ 反対または対応の意味を表す字を重ねたもの（高低）
ウ 上の字が下の字を修飾しているもの（洋画）
エ 下の字が上の字の目的語・補語になっているもの（着席）
オ 上の字が下の字の意味を打ち消しているもの（非常）

次の熟語は右のア〜オのどれにあたるか、一つ選び、記号で記せ。

1 店舗（　）
2 先輩（　）
3 迫真（　）
4 抜群（　）
5 首尾（　）
6 噴火（　）
7 普及（　）
8 賞罰（　）
9 脂肪（　）
10 不屈（　）

4

次の――線のカタカナを漢字に直せ。

1 多少**ボウケン**だがやってみよう。

2 投手が何度も**ボウシ**に手をやる。

3 のど**ジマン**大会で見事優勝した。

4 **ボン**休みには毎年帰省している。

5 事態を**ボウカン**するのみだった。

6 **ボンジン**には彼が理解できない。

7 風波を**オカ**して救助に向かった。

8 前から**マンガ**をよく読んでいた。

9 ヒレ肉には**シボウ**が少ない。

10 ひなの**ウモウ**が生えそろった。

11 被害者の心中を**オ**し量る。

12 **オオヤケ**の場で白黒をつけよう。

13 不思議な能力を**サズ**かる話だ。

14 **ヒャクブン**は一見にしかず。

15 馬が驚いて**ボウダ**ちになった。

16 流れに**サカ**らって川を上る。

17 病が全快して**フクショク**した。

18 兄は**フクショク**デザイナーだ。

19 春の新商品が**テントウ**に並んだ。

20 夜間照明は自動で**テントウ**する。

21 石につまずいて**テントウ**する。

22 学校に忘れ物を**ト**りに行く。

23 検査のために血を**ト**った。

24 父は会社で事務を**ト**っている。

使い分けよう！ **あやまる【謝・誤】**

謝る…例 無礼な物言いを謝る　手をついて謝る　（わびる）

誤る…例 道を誤る　人選を誤る　（まちがう）

ステップ 30-34

力だめし 第6回

総得点 /100

評価
A
80点 B
75点 C
70点 D
60点 E

月 日

1

次の——線の漢字の読みをひらがなで記せ。

1×10 /10

1 繁忙を極める毎日を送っている。（　）
2 トルコで織られた高価な敷物だ。（　）
3 塔の壁面をツタがおおっている。（　）
4 我々凡才には思いもつかない。（　）
5 害虫駆除のスプレーを噴射した。（　）
6 盆と正月が同時に来たようだ。（　）
7 祝い事に尾頭つきのタイが出た。（　）
8 強い寒波で野菜の作柄が心配だ。（　）
9 リスは冬眠前に脂肪を蓄える。（　）
10 機敏な動きでタックルをかわす。（　）

2

1～5の三つの□に共通する漢字を入れて熟語を作れ。漢字はア～コから一つ選び、記号で記せ。

2×5 /10

1 海□・□辺・砂□（　）
2 高□・自□・□心（　）
3 僧□・宿□・風来□（　）
4 肩□・拡□・□員（　）
5 角□・□子・脱□（　）

ア 幅　イ 煮　ウ 浜　エ 屋　オ 帽
カ 価　キ 身　ク 慢　ケ 坊　コ 知

3

次の――線のカタカナを漢字一字と送りがな（ひらがな）に直せ。

〈例〉問題に**コタエル**。（答える）

1×10　／10

1 大変な痛手を**コウムッ**た。（　）

2 人目を**サケル**ように暮らす。（　）

3 仏前に菓子を**ソナエル**。（　）

4 髪型や服装を**アラタメル**。（　）

5 柱が**クサッ**ていて危険だ。（　）

6 忠告に**シタガイ**、禁煙する。（　）

7 支**ハライ**はすでに済んでいる。（　）

8 やっとタクシーが**ツカマッ**た。（　）

9 武士たちは**イサマシク**戦った。（　）

10 念願の女の子を**サズカッ**た。（　）

4

次の――線のカタカナにあてはまる漢字をそれぞれのア～オから一つ選び、記号で記せ。

1×10　／10

1 お**ヒ**岸には母がぼたもちを作る。（　）

2 行き過ぎた練習で**ヒ**労骨折をする。（　）

3 議案は全会一致で**ヒ**決された。（　）

（ア 彼　イ 疲　ウ 批　エ 比　オ 否）

4 完**プ**なきまでに打ちのめされる。（　）

5 幼くして天**プ**の詩才が開花した。（　）

6 毎朝の乾**プ**まさつを欠かさない。（　）

（ア 膚　イ 負　ウ 布　エ 賦　オ 夫）

7 南米大陸の最高**ホウ**にいどむ。（　）

8 **ホウ**丸投げで世界記録を出した。（　）

9 新社長が**ホウ**負を述べる。（　）

10 プレゼント用に**ホウ**装してもらう。（　）

（ア 法　イ 抱　ウ 包　エ 砲　オ 峰）

5

次の各文にまちがって使われている同じ読みの漢字が一字ある。上に誤字を、下に正しい漢字を記せ。

2×5 ／10

		誤	正
1	神社の本殿が半世紀ぶりに一般公開されると知り、往複はがきで拝観を申し込んだ。	（　　）	（　　）
2	新製品は発売と同時に予想を上回る注文が殺倒し、長く品切れ状態が続いている。	（　　）	（　　）
3	刻類や野菜、豆類などの農作物について、全国調査に基づいた資料を作成する。	（　　）	（　　）
4	新聞やテレビにおける事前の占伝が功を奏し、展示会場には多くの観衆が集まった。	（　　）	（　　）
5	因念の顔合わせとなった決勝戦では、少ない好機を生かして母校が接戦を制した。	（　　）	（　　）

6

後の［　］内のひらがなを漢字に直して（　）に入れ、対義語・類義語を作れ。［　］内のひらがなは一度だけ使い、漢字一字を記せ。

1×10 ／10

対義語

1 圧勝―大（　　）

2 傍系―（　　）系

3 特別―（　　）通

4 多大―軽（　　）

5 傍観―（　　）入

類義語

6 最初―（　　）頭

7 善戦―健（　　）

8 繁栄―盛（　　）

9 本店―本（　　）

10 出席―（　　）列

［かい・きょう・さん・ちょっ・とう・はい・び・ふ・ぽ・ぼう］

7

文中の四字熟語の――線のカタカナを漢字に直し、一字で記せ。

2×10 ／20

1. チームの初勝利に**狂喜乱ブ**した。（　）
2. 新作コントに**抱腹ゼッ倒**する。（　）
3. **マン言放語**には付き合えない。（　）
4. **適ザイ適所**といえる人事だ。（　）
5. **一ボウ千里**の大平原が広がる。（　）
6. **無イ自然**の生き方を理想とする。（　）
7. 彼は**大キ晩成**型の人物だ。（　）
8. 水は**無色トウ明**の液体だ。（　）
9. **物情ソウ然**たる時代を生きる。（　）
10. **ハク利多売**で利益を上げた。（　）

8

次の――線のカタカナを漢字に直せ。

2×10 ／20

1. 習慣とは**コワ**いものだ。（　）
2. 司法試験の**ナンカン**を突破した。（　）
3. 声までそっくりの**シマイ**だ。（　）
4. 入社時の身元**ホショウ**人になる。（　）
5. 軒先に**ボウハン**灯をつける。（　）
6. **キタ**るべき大会に備える。（　）
7. 目になみだを**ウ**かべながら話す。（　）
8. 兄は勉強より野球に**ムチュウ**だ。（　）
9. 落語家に**デシ**入りを志願する。（　）
10. 競技場に**セイカ**が燃える。（　）

漢字	読み	画数	部首	部首名	漢字の意味	用例	筆順
妙	音 ミョウ 訓 —	7	女	おんなへん	すばらしい・ふしぎな・若い	妙案《みょうあん》・妙技《みょうぎ》・妙齢《みょうれい》・奇妙《きみょう》・巧妙《こうみょう》・神妙《しんみょう》・絶妙《ぜつみょう》・微妙《びみょう》	
眠	音 ミン 訓 ねむ(る) ねむ(い)	10	目	めへん	ねむる・やすむ	安眠《あんみん》・永眠《えいみん》・休眠《きゅうみん》・睡眠《すいみん》・冬眠《とうみん》・不眠《ふみん》・眠気《ねむけ》・居眠《いねむ》り	
矛	音 ム 訓 ほこ	5	矛	ほこ	ほこ・長い柄の先に両《りょう》刃《ば》の剣のついた武器	矛盾《むじゅん》・矛先《ほこさき》	
霧	音 ム 訓 きり	19	雨	あめかんむり	地上にたちこめるきり	霧笛《むてき》・霧中《むちゅう》・雲散霧消《うんさんむしょう》・煙霧《えんむ》・濃霧《のうむ》・噴霧器《ふんむき》・霧雨《きりさめ》	
娘	音 — 訓 むすめ	10	女	おんなへん	(自分の子どもの)女の子・未婚の若い女性	娘心《むすめごころ》・娘盛《むすめざか》り・看板娘《かんばんむすめ》・小娘《こむすめ》・箱入《はこい》り娘《むすめ》・一人娘《ひとりむすめ》	
茂	音 モ 訓 しげ(る)	8	艹	くさかんむり	草木がしげる・多い・よい	茂生《もせい》・茂林《もりん》・繁茂《はんも》・生《お》い茂《しげ》る・茂《しげ》みに隠《かく》れる	
猛	音 モウ 訓 —	11	犭	けものへん	あらあらしい・はげしい	猛威《もうい》・猛火《もうか》・猛攻《もうこう》・猛獣《もうじゅう》・猛暑《もうしょ》・猛烈《もうれつ》・勇猛《ゆうもう》・猛者《もさ》	
網	音 モウ 訓 あみ	14	糸	いとへん	あみ・あみのようなもの・すべて	一網打尽《いちもうだじん》・魚網《ぎょもう》・情報網《じょうほうもう》・連絡網《れんらくもう》・網戸《あみど》・金網《かなあみ》・投網《とあみ》	

練習問題

1	／24
2	／10
3	／10
4	／24

月　日

1 次の——線の漢字の読みをひらがなで記せ。

1 なかなか妙案は浮かばなかった。
2 夏は網戸で虫の侵入を防ぐ。
3 彼の言うことは矛盾だらけだ。
4 温暖な気候で草木がよく茂る。
5 インフルエンザが猛威を振るう。
6 眠気覚ましにコーヒーを飲む。
7 濃霧で航空便の欠航が相次いだ。
8 全員が神妙に話を聞いていた。
9 世界各地に情報網を張り巡らす。
10 箱入り娘で大事にされてきた。

11 怒りの矛先がこちらに向いた。
12 夏草の繁茂する野原を駆ける。
13 休眠状態の会社が営業再開した。
14 霧が立ち込めて視界がきかない。
15 相手チームの猛攻に耐える。
16 絶妙のタイミングで技をかけた。
17 誠を尽くして相手に謝罪した。
18 河川敷が遊歩道になっている。
19 騒音に安眠をさまたげられる。
20 倉庫に眠る器材を活用しよう。
21 高原の冬は霧氷が美しい。
22 北国の街は夜霧に包まれた。
23 市は交通網の整備に取り組んだ。
24 ウサギ小屋の金網を張り替える。

2 文中の四字熟語の――線のカタカナを漢字に直し、一字で記せ。

1 **注意散マン**な運転が事故を招く。（　　）

2 仲間内で**ミョウ計奇策**を講じた。（　　）

3 **完全無ケツ**の人間などいない。（　　）

4 **軽ハク短小**な商品が売れている。（　　）

5 **一日千シュウ**の思いで待った。（　　）

6 忠告を**馬ジ東風**と聞き流す。（　　）

7 作品の出来ばえを**自ガ自賛**する。（　　）

8 和平への期待は**雲散ム消**した。（　　）

9 **大同小イ**の意見ばかりだった。（　　）

10 **モン外不出**の仏像を公開する。（　　）

3 次の漢字の目的語・補語となる漢字を、後の□の中から選んで（　）に入れ、熟語を作れ。

1 起（　　）

2 捕（　　）

3 違（　　）

4 就（　　）

5 抜（　　）

6 処（　　）

7 拡（　　）

8 耐（　　）

9 避（　　）

10 迎（　　）

球・稿・歯・春・寝・震・難・罰・幅・約

4 次の――線のカタカナを漢字に直せ。

1 この曲をきくと**ネム**くなる。
2 船から**アミ**を投げて魚を捕る。
3 **キリサメ**が降る中を早足で歩く。
4 一人**ムスメ**をこよなく愛する。
5 犬が**シゲ**みから飛び出してきた。
6 謝罪を受け入れ、**ホコ**を収めた。
7 **モウショ**で電力不足が心配だ。
8 カメが**トウミン**から覚めた。
9 現代は通信**モウ**が発達している。
10 **ミョウ**な話だと思いながら聞く。
11 園芸用の**フンムキ**を買った。
12 係員に**ミチビ**かれて席に着く。
13 水玉**モヨウ**をあしらった夏服だ。
14 働く**ミンシュウ**の姿を描く。
15 兄の**カドデ**にふわさしい晴天だ。
16 始発駅から**スワ**って通勤する。
17 ガラスの**ハヘン**を取り除いた。
18 さそいを断れない**ショウブン**だ。
19 お手紙を**ハイケン**致しました。
20 左右**タイショウ**の図形だ。
21 社会人が**タイショウ**の塾《じゅく》に通う。
22 **タイショウ**的な性格の兄弟だ。
23 **ノボ**りの新幹線に乗り込んだ。
24 険しい山道を休まずに**ノボ**った。

使い分けよう！ **いどう【異同・異動・移動】**
異同…例 字句の異同 異同を確かめる （相違）
異動…例 人事異動 本社に異動する （地位や勤務状態の変化）
移動…例 移動図書館 席を移動する （位置を変えること）

漢字	読み	画数	部首	部首名	漢字の意味	用例	筆順
黙	音 モク 訓 だま(る)	15	黒	くろ	だまって何も言わない・しずか	黙殺《もくさつ》・黙想《もくそう》・黙読《もくどく》・黙認《もくにん》・黙秘《もくひ》・暗黙《あんもく》・沈思黙考《ちんしもっこう》・沈黙《ちんもく》	黙 黙 黙4 黙 黙 黙 黙 黙10 黙 黙15
紋	音 モン 訓 ——	10	糸	いとへん	もよう・家のしるしとして定まっている図柄	紋切《もんき》り型《がた》・紋章《もんしょう》・紋服《もんぷく》・紋様《もんよう》・家紋《かもん》・指紋《しもん》・波紋《はもん》	紋 紋 紋 紋 紋 紋 紋 紋 紋 紋
躍	音 ヤク 訓 おど(る)	21	𧾷	あしへん	勢いのいいこと	躍進《やくしん》・躍動《やくどう》・躍起《やっき》・暗躍《あんやく》・活躍《かつやく》・跳躍《ちょうやく》・飛躍《ひやく》・小躍《こおど》り	躍4 躍 躍7 躍10 躍13 躍15 躍 躍 躍 躍21
雄	音 ユウ 訓 お おす	12	隹	ふるとり	動植物のおす・男らしい・すぐれている人	雄姿《ゆうし》・雄大《ゆうだい》・雄図《ゆうと》・雄飛《ゆうひ》・雄弁《ゆうべん》・英雄《えいゆう》・群雄割拠《ぐんゆうかっきょ》・雌雄《しゆう》	雄 雄 雄 雄 雄 雄 雄 雄 雄 雄12
与	音 ヨ 訓 あた(える)	3	一	いち	あたえる・なかまとなる・関係する	与党《よとう》・関与《かんよ》・寄与《きよ》・参与《さんよ》・授与《じゅよ》・贈与《ぞうよ》・投与《とうよ》・賦与《ふよ》	与 与 与
誉	音 ヨ 訓 ほま(れ)	13	言	げん	ほめる・ほまれ・よい評判	栄誉《えいよ》・称誉《しょうよ》・名誉《めいよ》・名作《めいさく》の誉《ほま》れが高《たか》い	誉 誉 誉 誉 誉 誉 誉 誉 誉10 誉13
溶	音 ヨウ 訓 と(ける) と(かす) と(く)	13	氵	さんずい	水にとける・熱でとけて液体になる	溶液《ようえき》・溶解《ようかい》・溶岩《ようがん》・溶剤《ようざい》・溶接《ようせつ》・水溶《すいよう》	溶3 溶 溶 溶 溶8 溶 溶 溶 溶 溶
腰	音 ヨウ 高 訓 こし	13	月	にくづき	胴の下のほうのこし・ねばり	腰痛《ようつう》・腰部《ようぶ》・腰抜《こしぬ》け・足腰《あしこし》・中腰《ちゅうごし》・本腰《ほんごし》・物腰《ものごし》・弱腰《よわごし》	腰4 腰 腰 腰 腰 腰 腰 腰 腰 腰

ステップ 36 練習問題

1	/24
2	/5
3	/10
4	/24

月　日

1 次の——線の漢字の読みをひらがなで記せ。

1 社会に寄与する活動をしたい。
2 勝利に躍り上がって喜んだ。
3 何を聞かれても押し黙っていた。
4 羽織に家紋を入れる。
5 事業が成功して躍進をとげる。
6 計画を再検討する時間を与えた。
7 試合前から弱腰ではだめだ。
8 名作の誉れが高い長編小説だ。
9 眼下の雄大な自然に息をのんだ。
10 仕事に黙黙と取り組んでいる。
11 海外での活躍が報じられた。
12 トラが雄雄しい姿を見せる。
13 不用意な発言が波紋を呼んだ。
14 天から賦与された才能を生かす。
15 コーヒーに砂糖を溶かす。
16 二年連続入賞の栄誉をたたえる。
17 暗黙のうちに理解し合っている。
18 本腰を入れて事件を調査する。
19 党首が舌戦の火ぶたを切った。
20 舌先三寸で丸め込まれる。
21 大抵の金属を腐食させる溶液だ。
22 卵を溶いてオムレツを作った。
23 雄図を抱いて極地に向かう。
24 雄の子犬を飼い始めた。

2 次に示した部首とは異なる部首を持つ漢字をア～オから一つ選び、記号で記せ。

1 灬〔れんが・れっか〕
（ア 為　イ 熟　ウ 無　エ 黙　オ 煮）

2 隹〔ふるとり〕
（ア 難　イ 集　ウ 雑　エ 雄　オ 躍）

3 車〔くるま〕
（ア 輝　イ 載　ウ 撃　エ 軍　オ 輩）

4 艹〔くさかんむり〕
（ア 茂　イ 蓄　ウ 荒　エ 暮　オ 薄）

5 貝〔かいへん〕
（ア 販　イ 賦　ウ 則　エ 貯　オ 贈）

3 次の――線のカタカナ「ボウ」をそれぞれ異なる漢字に直せ。

1 集会の**ボウ**頭であいさつする。

2 両親は**ボウ**易商を営んでいる。

3 救助を求める無線を**ボウ**受した。

4 寝**ボウ**して待ち合わせに遅れた。

5 激しい攻**ボウ**戦が展開される。

6 雑用に**ボウ**殺された一日だった。

7 脂**ボウ**分の少ない牛乳を飲む。

8 強力な味方を得て鬼に金**ボウ**だ。

9 彼女の表現力には脱**ボウ**した。

10 国の興**ボウ**に関わる大事件だ。

4 次の——線のカタカナを漢字に直せ。

1 **アタ**えられた条件を満たす。
2 **オバナ**と雌花を観察する。
3 記事で**メイヨ**を傷つけられた。
4 彼の話は**ヒヤク**し過ぎている。
5 皿の上のバターが**ト**けている。
6 窓に犯人の**シモン**が残っていた。
7 トロフィーを**ジュヨ**される。
8 **ダマ**って話に耳を傾ける。
9 **エイユウ**として尊敬されている。
10 ジョギングで足**コシ**をきたえる。
11 郷土の**ホマ**れとされる人物だ。
12 五年ぶりの再会に胸が**オド**った。
13 金属の**ヨウセツ**技術を習得する。
14 一匹の**オス**が群れを率いている。
15 気まずい**チンモク**に包まれた。
16 強風が吹いて髪の毛が**ミダ**れた。
17 **スグ**れた作品を数多く残した。
18 だれにでも**ドクゼツ**を吐く人だ。
19 薄**クレナイ**の花びらが舞った。
20 船で救援物資を**ユソウ**する。
21 **コウソウ**ビルが林立している。
22 新しい論文の**コウソウ**を練る。
23 次の二次方程式を**ト**きなさい。
24 仏の教えを**ト**いて聞かせる。

部首をまちがえやすい漢字
Q…次の漢字の部首は? ①黙 ②勝 ③聞
A…①黒(くろ) ②力(ちから) ③耳(みみ)
「黙」は「灬(れんが・れっか)」、「勝」は「月(つきへん)」、「聞」は「門(もんがまえ)」とまちがえないように注意しましょう。

漢字	読み	画数	部首	部首名	漢字の意味	用例
踊	音 ヨウ 訓 おど(る) おど(り)	14	𧾷	あしへん	おどる・はねまわる・とびあがる	踊躍《ようやく》・舞踊《ぶよう》・踊《おど》り子《こ》・踊《おど》り場《ば》・盆踊《ぼんおど》り
謡	音 ヨウ 訓 うたい 高 うた(う) 高	16	言	ごんべん	うたう・はやりうた・うたい・うわさ	謡曲《ようきょく》・謡言《ようげん》・歌謡《かよう》・童謡《どうよう》・民謡《みんよう》・素《す》謡《うたい》
翼	音 ヨク 訓 つばさ	17	羽	はね	つばさ・左右に位置するもの・たすける	翼賛《よくさん》・一翼《いちよく》・右翼《うよく》・銀翼《ぎんよく》・主翼《しゅよく》・尾翼《びよく》・翼《つばさ》を広《ひろ》げる
雷	音 ライ 訓 かみなり	13	⻗	あめかんむり	かみなり・爆発するもの	雷雨《らいう》・雷鳴《らいめい》・遠雷《えんらい》・春雷《しゅんらい》・避雷針《ひらいしん》・付和雷同《ふわらいどう》・落雷《らくらい》
頼	音 ライ 訓 たの(む) たの(もしい) たよ(る)	16	頁	おおがい	たのむ・あてにする	依頼《いらい》・信頼《しんらい》・無頼漢《ぶらいかん》・神頼《かみだの》み・頼《たの》もしい味方《みかた》
絡	音 ラク 訓 から(む) 高 から(まる) 高 から(める) 高	12	糸	いとへん	つながる・つなぐ・からむ	短絡的《たんらくてき》・脈絡《みゃくらく》・連絡《れんらく》
欄	音 ラン 訓 ——	20	木	きへん	くぎり・りんかく・てすり	欄外《らんがい》・欄干《らんかん》・欄間《らんま》・空欄《くうらん》・投書欄《とうしょらん》
離	音 リ 訓 はな(れる) はな(す)	18	隹	ふるとり	はなれる・わかれる	離合《りごう》・離脱《りだつ》・離反《りはん》・離陸《りりく》・距離《きょり》・分離《ぶんり》・別離《べつり》・遊離《ゆうり》

筆順

練習問題

1 /24
2 /10
3 /10
4 /24

月　日

1 次の――線の漢字の読みをひらがなで記せ。

1 飛行機の主翼を点検する。

2 春雷の響きに驚いて鳥が逃げた。

3 老夫婦は優雅にワルツを踊った。

4 趣味は昔の歌謡曲を歌うことだ。

5 朝日を受けて銀翼が光っている。

6 見事な離れ業を演じてみせた。

7 日程の変更を連絡網で回す。

8 立派な欄干を備えた橋だ。

9 雷が鳴り、雨が降り始めた。

10 盆踊りにゆかたを新調した。

11 早々に離脱し別の党を結成する。

12 頼もしい味方が現れた。

13 空欄をうめればパズルの完成だ。

14 落雷のため停電している。

15 岩壁でコンドルが翼を休める。

16 ずっと脈絡のない話が続いた。

17 自宅で日本舞踊を教えている。

18 芸の道にひたすら精進する。

19 その情報は信頼できない。

20 だれからも頼りにされている。

21 安全のために車間距離を保つ。

22 危なくて片時も目を離せない。

23 次の会議が試金石となるだろう。

24 試しに一週間使ってみた。

2

文中の四字熟語の——線のカタカナを漢字に直し、一字で記せ。

1 **私利私ヨク**におぼれ信用を失う。（　　）
2 親友をだますなど**言語ドウ断**だ。（　　）
3 新事業は**五里ム中**の状態だ。（　　）
4 **一進一タイ**の攻防が続いた。（　　）
5 多数派に**付和ライ同**して騒ぐ。（　　）
6 密輸組織は**一網打ジン**にされた。（　　）
7 家族は**異ク同音**に反対した。（　　）
8 おく病で**小心ヨク々**としている。（　　）
9 次の一手を前に**沈思モッ考**する。（　　）
10 **電光セッ火**の早業で完成させた。（　　）

3

熟語の構成のしかたには次のようなものがある。

ア　同じような意味の漢字を重ねたもの（**岩石**）
イ　反対または対応の意味を表す字を重ねたもの（**高低**）
ウ　上の字が下の字を修飾しているもの（**洋画**）
エ　下の字が上の字の目的語・補語になっているもの（**着席**）
オ　上の字が下の字の意味を打ち消しているもの（**非常**）

次の熟語は右のア～オのどれにあたるか、一つ選び、記号で記せ。

1 雌雄（　　）
2 雷雲（　　）
3 仰天（　　）
4 猛獣（　　）
5 尾翼（　　）
6 跳躍（　　）
7 未完（　　）
8 依頼（　　）
9 脱帽（　　）
10 繁茂（　　）

4 次の——線のカタカナを漢字に直せ。

1 いつまでも親に**タヨ**るな。（　　）

2 大事業の**イチヨク**をになった。（　　）

3 近くの木に**カミナリ**が落ちた。（　　）

4 **タンラク**的な思考をする人だ。（　　）

5 弟は**チバナ**れの早い子だった。（　　）

6 **タノ**まれたら断れない性格だ。（　　）

7 問題の注釈は**ランガイ**にある。（　　）

8 夕方から激しい**ライウ**となった。（　　）

9 階段の**オド**り場で話し込んだ。（　　）

10 各地の**ミンヨウ**を調査している。（　　）

11 母校の教授に執筆を**イライ**した。（　　）

12 **ツバサ**を広げて大空にはばたく。（　　）

13 彼との悲しい**ベツリ**を思い出す。（　　）

14 景気の先行きを**ヨソク**する。（　　）

15 ろうそくが静かに**モ**えている。（　　）

16 **ゴクヒ**の事業計画が進んでいる。（　　）

17 安さでは**タチ**打ちできない。（　　）

18 **テンケイ**的な文学青年だった。（　　）

19 高校生には**ヤサ**しい問題だ。（　　）

20 両派はここに**メイヤク**を結んだ。（　　）

21 **ヘンタイ**仮名を読む訓練をする。（　　）

22 さなぎがチョウに**ヘンタイ**する。（　　）

23 **ナガ**い目で見てやってほしい。（　　）

24 祖父との**ナガ**の別れとなった。（　　）

比翼連理（ひよくれんり）
白居易《はくきょい》の長編詩『長恨歌《ちょうごんか》』で、「男女の情愛が深く、仲むつまじいこと」をたとえた表現です。「比翼」は雌雄二羽が翼を共有して常に一体となって飛ぶ想像上の鳥、「連理」は根元は別々だが枝が途中で結合している木のこと。

漢字	読み	画数	部首	部首名	漢字の意味	用例	筆順
粒	音 リュウ 訓 つぶ	11	米	こめへん	米つぶ・まるまって小さいもの	粒子《りゅうし》・微粒子《びりゅうし》・粒《つぶ》ぞろい・雨粒《あまつぶ・あめつぶ》・大粒《おおつぶ》・米粒《こめつぶ》・豆粒《まめつぶ》	粒2 粒 粒 粒 粒 粒 粒 粒 粒 粒
慮	音 リョ 訓 ―	15	心	こころ	よく考える・思いめぐらす	遠慮《えんりょ》・苦慮《くりょ》・考慮《こうりょ》・思慮《しりょ》・熟慮《じゅくりょ》・短慮《たんりょ》・配慮《はいりょ》・不慮《ふりょ》	慮 慮 慮 慮 慮 慮 慮8 慮 慮11 慮15
療	音 リョウ 訓 ―	17	疒	やまいだれ	病気やけがをなおすこと	療法《りょうほう》・療養《りょうよう》・荒療治《あらりょうじ》・医療《いりょう》・加療《かりょう》・治療《ちりょう》	療2 療 療5 療 療8 療 療 療14 療 療17
隣	音 リン 訓 とな(る) となり	16	阝	こざとへん	となり・つれ	隣家《りんか》・隣室《りんしつ》・隣人《りんじん》・隣接《りんせつ》・近隣《きんりん》・隣《とな》り合《あ》わせ・隣近所《となりきんじょ》	隣2 隣5 隣 隣 隣9 隣12 隣 隣 隣 隣
涙	音 ルイ 訓 なみだ	10	氵	さんずい	なみだ	感涙《かんるい》・血涙《けつるい》・声涙《せいるい》・落涙《らくるい》・涙雨《なみだあめ》・涙顔《なみだがお》・涙声《なみだごえ》・涙目《なみだめ》	涙 涙 涙 涙 涙 涙 涙 涙 涙 涙
隷	音 レイ 訓 ―	16	隶	れいづくり	したがう・漢字の書体の一つ	隷書《れいしょ》・隷属《れいぞく》・隷農《れいのう》・奴隷《どれい》	隷3 隷5 隷 隷8 隷 隷 隷 隷 隷14 隷16
齢	音 レイ 訓 ―	17	歯	はへん	とし・よわい	加齢《かれい》・高齢《こうれい》・弱齢《じゃくれい》・樹齢《じゅれい》・適齢期《てきれいき》・年齢《ねんれい》・妙齢《みょうれい》・老齢《ろうれい》	齢 齢 齢4 齢7 齢 齢10 齢 齢 齢15 齢17
麗	音 レイ 訓 うるわ(しい) 高	19	鹿	しか	うるわしい・美しい	麗姿《れいし》・麗人《れいじん》・麗筆《れいひつ》・秀麗《しゅうれい》・端麗《たんれい》・美辞麗句《びじれいく》・美麗《びれい》	麗2 麗 麗 麗8 麗11 麗 麗14 麗 麗18 麗

ステップ 38

練習問題

1	／24
2	／6
3	／10
4	／24

月　日

1 次の――線の漢字の読みをひらがなで記せ。

1 戦地で医療活動に従事していた。
2 目標を達成し感涙にむせぶ。
3 退部したのは短慮だった。
4 端麗な顔立ちで気立てもよい。
5 自宅に隣接して事務所がある。
6 大国への隷属から脱する。
7 会社の再建には荒療治が必要だ。
8 神社に樹齢四百年の大木がある。
9 思慮に欠けると父に注意された。
10 今年の新入社員は粒ぞろいだ。
11 少女が落涙する場面が印象的だ。
12 隷書という漢字の書体がある。
13 古い友人が隣に引っ越してきた。
14 雲が切れ、秀麗な山容が現れた。
15 病気療養中の旧友を見舞う。
16 利益はすずめの涙ほどだった。
17 姉は静かで遠慮がちな人だ。
18 彼らは皆同じ年齢です。
19 花粉の微粒子を拡大して調べる。
20 葉に米粒大の虫がついている。
21 隣家から笑い声が聞こえる。
22 座席はおばと隣り合わせだった。
23 中学生だが老成した口をきく。
24 老いてきた両親が小さく見える。

2 次の〔　〕から対義語の関係になる組み合わせを一組選び、記号で記せ。

1 〔ア 厳寒　イ 猛火　ウ 猛暑　エ 避暑〕（　と　）

2 〔ア 専属　イ 隷属　ウ 支配　エ 支援〕（　と　）

3 〔ア 永遠　イ 遠方　ウ 接近　エ 近隣〕（　と　）

4 〔ア 記述　イ 黙秘　ウ 黙礼　エ 供述〕（　と　）

5 〔ア 受領　イ 領有　ウ 参与　エ 授与〕（　と　）

6 〔ア 念頭　イ 末代　ウ 末尾　エ 冒頭〕（　と　）

3 次の――線のカタカナ「ヨウ」をそれぞれ異なる漢字に直せ。

1 ヨウ成所で専門技術を習得する。（　）

2 とてもヨウ認できない行為だ。（　）

3 事件で街のヨウ相は一変した。（　）

4 善処するよう強くヨウ望した。（　）

5 舞ヨウ家として初公演を行った。（　）

6 噴火で大量のヨウ岩が流れ出す。（　）

7 ヨウ楽の歌詞の意味を調べる。（　）

8 この井戸水は飲ヨウには適さない。（　）

9 なつかしい童ヨウを口ずさむ。（　）

10 うららかな春のヨウ光が差した。（　）

4 次の――線のカタカナを漢字に直せ。

1 良き**リンジン**として付き合う。

2 **ナミダゴエ**で言い訳をした。

3 細かい**リュウシ**からなる物質だ。

4 **ドレイ**の解放が宣言された。

5 虫歯の**チリョウ**を受けている。

6 **ビレイ**な装飾が人目を引く。

7 国民感情に**ハイリョ**した発言だ。

8 職人の**コウレイカ**が進んだ。

9 **トナリ**近所の結びつきが強い。

10 突然の惨劇に**ケツルイ**をしぼる。

11 急に**オオツブ**の雨が降り出した。

12 気立ての**ヤサ**しい子に育つ。

13 景気の**テイメイ**から立ち直る。

14 エースの名に**ソム**かぬ活躍だ。

15 **チノ**み子を抱えて働いている。

16 道路に**ヒョウシキ**が設置された。

17 幼児がしきりに母親を**ヨ**ぶ。

18 **ユウビン**番号の記入が必要だ。

19 庭の**コウバイ**が咲き始めた。

20 取材に**ツウヤク**として同行した。

21 夏休みの**ホシュウ**授業を受ける。

22 壊れた壁面を**ホシュウ**した。

23 帰国後、ユーロを円に**カ**えた。

24 書面をもってあいさつに**カ**える。

まちがえやすい四字熟語

Q…空欄に入る漢字は？　①直情□《けい》行　②無病□《そく》災　③付和雷□《どう》

A…①径　②息　③同

それぞれ、「直情経行」、「無病即災」、「付和雷動」などと書き誤らないように注意しましょう。

漢字	読み	画数	部首	部首名	漢字の意味	用例
暦	音 レキ 訓 こよみ	14	日	ひ	こよみ・まわりあわせ・年代	暦学《れきがく》・暦年《れきねん》・暦法《れきほう》・還暦《かんれき》・旧暦《きゅうれき》・西暦《せいれき》・太陽暦《たいようれき》・花暦《はなごよみ》
劣	音 レツ 訓 おと(る)	6	力	ちから	おとっている・いやしい	劣悪《れつあく》・劣化《れっか》・劣勢《れっせい》・劣等《れっとう》・劣敗《れっぱい》・下劣《げれつ》・優劣《ゆうれつ》・見劣《みおと》り
烈	音 レツ 訓 ―	10	灬	れんが れっか	はげしい・きびしい・信念をつらぬきとおす	烈火《れっか》・烈士《れっし》・烈日《れつじつ》・強烈《きょうれつ》・鮮烈《せんれつ》・痛烈《つうれつ》・熱烈《ねつれつ》・猛烈《もうれつ》
恋	音 レン 訓 こ(う) こい こい(しい)	10	心	こころ	こいしたう・こい	恋愛《れんあい》・恋慕《れんぼ》・恋恋《れんれん》・失恋《しつれん》・悲恋《ひれん》・恋心《こいごころ》・恋人《こいびと》・初恋《はつこい》
露	音 ロ ロウ 訓 つゆ	21	雨	あめかんむり	つゆ・はかない・野外・あらわす	露見《ろけん》・露骨《ろこつ》・露出《ろしゅつ》・露天《ろてん》・結露《けつろ》・吐露《とろ》・披露《ひろう》・夜露《よつゆ》
郎	音 ロウ 訓 ―	9	阝	おおざと	男・おっと・家来・男子の名につけることば	郎党《ろうとう》《ろうどう》・新郎《しんろう》・野郎《やろう》
惑	音 ワク 訓 まど(う)	12	心	こころ	まどう・まどわす・うたがう	惑星《わくせい》・疑惑《ぎわく》・困惑《こんわく》・当惑《とうわく》・不惑《ふわく》・迷惑《めいわく》・誘惑《ゆうわく》・戸惑《とまど》う
腕	音 ワン 訓 うで	12	月	にくづき	うで・うでまえ	腕章《わんしょう》・腕白《わんぱく》・腕力《わんりょく》・手腕《しゅわん》・鉄腕《てつわん》・敏腕《びんわん》・腕試《うでだめ》し・腕前《うでまえ》

筆順

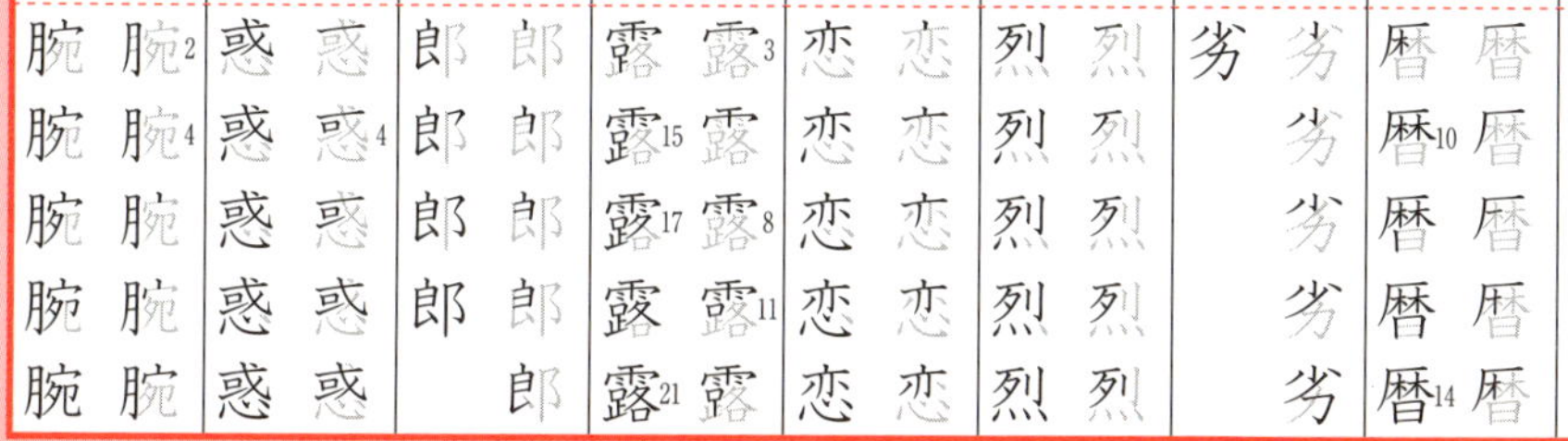

ステップ39

練習問題

1	/24
2	/10
3	/5
4	/24

月　日

1 次の――線の漢字の読みをひらがなで記せ。

1 親友に苦しい心境を吐露する。

2 人心を惑わす言動は慎みたい。

3 退場者が出て劣勢に立たされる。

4 同級生にほのかな恋心を抱く。

5 彼の腕から速球が繰り出された。

6 使節団は熱烈な歓迎を受けた。

7 間違い電話に迷惑している。

8 兄が得意の芸を披《ひ》露した。

9 両者の力には優劣をつけにくい。

10 一族郎党を率いての出陣だった。

11 離れて暮らす母を恋いしたう。

12 記者として敏腕を振るった。

13 秘密が露見して大騒ぎとなった。

14 暦を見て縁起のよい日を調べる。

15 強烈なパンチを受けて倒れた。

16 証言によって疑惑が晴れる。

17 大豆は肉に劣らぬ栄養価がある。

18 色の対比が鮮烈な印象を与える。

19 弟は腕白すぎてけがが絶えない。

20 テントを張って雨や露を防ぐ。

21 お月見は旧暦で行う年中行事だ。

22 孫は会う度に大きくなっている。

23 恋愛小説で文学賞を受賞した。

24 過ぎた昔が恋しく思い出される。

2 文中の四字熟語の――線のカタカナを漢字に直し、一字で記せ。

1 **天サイ地変**に備えて訓練をする。
2 **思リョ分別**に欠ける行為だった。
3 **セイ風明月**の秋の夜空だ。
4 **善リン友好**を願って交流を図る。
5 **美辞レイ句**を並べたあいさつだ。
6 彼らは**比ヨク連理**の仲だ。
7 **当意ソク妙**な答えが返ってきた。
8 実力を発揮する**好機トウ来**だ。
9 **不ミン不休**で看護にあたる。
10 人の世は**ショ行無常**といわれる。

3 次の各文にまちがって使われている同じ読みの漢字が一字ある。上に誤字を、下に正しい漢字を記せ。

誤　正

1 縁日には寺の境内に路店が所狭しと立ち並び、大勢の人でにぎわった。
2 段階ごとに難易度を増す器械体操の特訓に耐え続けた結果、世界トップに躍り出た。
3 五億年前に範栄し、生きた化石と呼ばれるウミユリの人工授精に成功した。
4 長い人生をできるだけ健康に過ごすために、病気は治料よりも予防が大切だ。
5 英語を日本の第二恒用語にしようという案に対し、痛烈な反論が出た。

4 次の――線のカタカナを漢字に直せ。

1 男女の**ヒレン**を描いた物語だ。
2 あいまいな指示に**コンワク**した。
3 山道の草が**アサツユ**にぬれる。
4 **コヨミ**の上では今日から秋だ。
5 姉は**ハツコイ**の人と結婚した。
6 彼の料理の**ウデマエ**に驚いた。
7 どちらも負けず**オトラ**ず優秀だ。
8 正面に**シンロウ**新婦の席がある。
9 父に**レッカ**のごとく怒られた。
10 市民は煙の中を逃げ**マド**った。
11 赤い山はだが**ロシュツ**している。
12 **セイレキ**で誕生日を記入する。
13 故郷を**コ**う気持ちが強まる。
14 優れた経営**シュワン**を発揮した。
15 **レットウカン**を持つ必要はない。
16 大切な皿を**ワ**ってしまった。
17 旬の果物の**シュッカ**で忙しい。
18 生徒を**インソツ**して遠足に行く。
19 木の**ミキ**にはしごを立てかける。
20 **リョウド**をめぐる争いが続く。
21 和英**ジテン**は兄のお下がりだ。
22 地球の**ジテン**について調べた。
23 研究は大きな成功を**オサ**めた。
24 修学旅行の費用を**オサ**める。

使い分けよう！ **うつ【打・撃】**
打つ…例 注射を打つ　手を打つ　（打ち当てる、たたく）
撃つ…例 的を撃つ　迎え撃つ　（射撃する）

総得点　/100

評価
A
80点 B
75点 C
70点 D
60点 E

月　日

1 次の——線の漢字の読みをひらがなで記せ。

1×10　/10

1 意見に微妙な食い違いがある。
2 能の詞章を謡曲という。
3 日本の伝統的な紋様を学ぶ。
4 そろそろ毛布が恋しい季節だ。
5 娘の手を引いて買い物に行く。
6 与党がかろうじて勝利を収めた。
7 明治時代に太陽暦が採用された。
8 躍起になってうわさを否定した。
9 おだやかな物腰で応対する。
10 演説会で候補者が雄弁を振るう。

2 熟語の構成のしかたには次のようなものがある。

1×10　/10

ア 同じような意味の漢字を重ねたもの　（岩石）
イ 反対または対応の意味を表す字を重ねたもの　（高低）
ウ 上の字が下の字を修飾しているもの　（洋画）
エ 下の字が上の字の目的語・補語になっているもの　（着席）
オ 上の字が下の字の意味を打ち消しているもの　（非常）

次の熟語は右のア〜オのどれにあたるか、一つ選び、記号で記せ。

1 失恋
2 勇猛
3 家紋
4 優劣
5 微増
6 舞踊
7 発砲
8 不眠
9 師弟
10 妙技

3 次の――線のカタカナを漢字一字と送りがな（ひらがな）に直せ。

〈例〉問題に**コタエル**。（答える）

1×10 ／10

1 最後は運を天に**マカセル**だけだ。（　　）
2 庭に雑草がおい**シゲッ**ている。（　　）
3 不利になると**ダマッ**てしまった。（　　）
4 親子で**カタライ**の時間を持つ。（　　）
5 優勝の喜びを**アジワウ**。（　　）
6 若いのに**タノモシイ**青年だ。（　　）
7 勇気を**フルッ**て立候補した。（　　）
8 友人に見舞いの花を**トドケル**。（　　）
9 的を目がけて矢を**ハナッ**た。（　　）
10 身のこなしが**カロヤカナ**人だ。（　　）

4 次の――線のカタカナにあてはまる漢字をそれぞれのア～オから一つ選び、記号で記せ。

1×10 ／10

1 発言の**ム**盾を指摘された。（　　）
2 山頂は濃**ム**に包まれている。（　　）
3 長い黒髪を**ム**造作に束ねている。（　　）
（ア 務　イ 夢　ウ 霧　エ 無　オ 矛）

4 心を**ト**ざして全く口をきかない。（　　）
5 高温で鉄を**ト**かして接合する。（　　）
6 仕事で会社に**ト**まり込んだ。（　　）
7 逃げたウサギを**ト**らえてきた。（　　）
（ア 溶　イ 閉　ウ 留　エ 泊　オ 捕）

8 新しい作品を披《ひ》**ロウ**した。（　　）
9 新**ロウ**の幸せそうな顔が輝く。（　　）
10 明**ロウ**快活なスタッフが集まった。（　　）
（ア 郎　イ 朗　ウ 露　エ 労　オ 老）

5 次の各文にまちがって使われている同じ読みの漢字が一字ある。上に誤字を、下に正しい漢字を記せ。

2×5 ／10

	問題	誤	正
1	高速道路添いの騒音を低減するため、吸音性に富んだ防音壁が設置された。	（　）	（　）
2	地球温暖化が一因の異常気象は今後増加の恐れがあると指滴されている。	（　）	（　）
3	落雷が原因とみられる信号故称で電車が遅延し、通勤・通学の足に大きな乱れが出た。	（　）	（　）
4	書店の店頭には芸能界やスポーツに関する記事を満際した週刊誌が並んでいる。	（　）	（　）
5	至宝といわれる名画が来日しての展覧会は盛興で、平日でも入り口に長い行列ができていた。	（　）	（　）

6 後の□内のひらがなを漢字に直して（　）に入れ、対義語・類義語を作れ。□内のひらがなは一度だけ使い、漢字一字を記せ。

1×10 ／10

対義語

1 遅鈍—（　）速
2 参加—（　）脱
3 原告—（　）告
4 独立—（　）属
5 冷静—熱（　）

類義語

6 技量—（　）前
7 筋道—脈（　）
8 閉口—困（　）
9 栄光—名（　）
10 薄情—冷（　）

うで・たん・ひ・びん・よ・らく・り・れい・れつ・わく

7

文中の四字熟語の――線のカタカナを漢字に直し、一字で記せ。

2×10 /20

1 **無理ナン題**を押しつけられる。

2 **音ト朗朗**と英文を読み上げた。

3 党は**リ合集散**を繰り返した。

4 けが人に**応急ショ置**をほどこす。

5 **満場一チ**で議事は承認された。

6 春の夜は**一コク千金**に値《あたい》する。

7 **熟リョ断行**で改革を進める。

8 主役は**容姿タン麗**な俳優だ。

9 **色ソク是空**の教えを受ける。

10 思えば**七テン八起**の人生だった。

8

次の――線のカタカナを漢字に直せ。

2×10 /20

1 得意な**リョウイキ**が試験に出た。

2 新聞の**トウショラン**の常連だ。

3 会議での発言を**ロクオン**する。

4 年をとって**ナミダ**もろくなった。

5 **キンリン**諸国と友好関係を保つ。

6 銀行**ヨキン**の残高を確認する。

7 夕日が空を赤く**ソ**める。

8 会場まで**リンジ**のバスが出る。

9 食事**リョウホウ**で体重を減らす。

10 車が**マメツブ**ほどに見えた。

4級 総まとめ

総得点
／200

評価
A
140点 B
120点 C
100点 D
80点 E

今までの学習の成果を試してみましょう。

検定を受けるときの注意事項を記載しましたので、実際の検定のつもりで問題に臨んでください。

■検定時間　60分

【注意事項】

1　問題用紙と答えを記入する用紙は別になっています。答えはすべて答案用紙に記入してください。

2　常用漢字の旧字体や表外漢字、常用漢字音訓表以外の読み方は正答とは認められません。

3　検定会場では問題についての説明はありませんので、問題をよく読み、設問の意図を理解して答えを記入してください。

4　答えはHB・B・2Bの鉛筆またはシャープペンシルで、枠内《わくない》に大きくはっきり書いてください。くずした字や乱雑な書き方は採点の対象になりませんので、ていねいに書くように心がけてください。

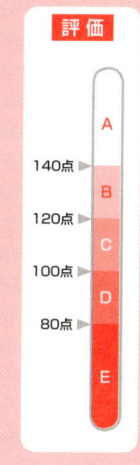

5　検定を受ける前に「日本漢字能力検定採点基準」『漢検』受検の際の注意点」（本書巻頭カラーページに掲載《けいさい》）を読んでおいてください。

■マークシート記入について

4級ではマークシート方式の問題があります。次の事項に注意して解答欄をマークしてください。

① HB・B・2Bの鉛筆またはシャープペンシルを使用すること。

② マーク欄は[ ]の上から下までぬりつぶすこと。はみ出したり、ほかのマーク欄にかかったりしないように注意すること。正しくマークされていない場合は、採点できないことがあります。

③ 間違ってマークしたものは消しゴムできれいに消すこと。

④ 答えは一つだけマークすること（二つ以上マークすると無効）。

4級　総まとめ

㈠ 次の――線の**漢字の読み**を**ひらがな**で記せ。 (30) 1×30

1 兄は昔からバッハに傾倒している。
2 がんを征圧する新薬の開発を目指す。
3 豪快なロングシュートで先制した。
4 非常時には敏速な行動が必要だ。
5 事故現場から奇跡的に救助される。
6 雅趣に富む筆致でつづった作品だ。
7 西洋占星術に興味を持っている。
8 誤字や脱字がないか確かめる。
9 地下鉄の駅で発砲事件があった。
10 液体の濃縮洗剤で器を洗う。
11 不動産を売却して移住資金とする。
12 劇場から演劇の大道具を搬出した。
13 子を千尋の谷に突き落とす思いだ。
14 外野手はボールを確実に捕球した。

㈡ 次の――線の**カタカナ**にあてはまる漢字をそれぞれの**ア～オ**から**一つ**選び、**記号にマーク**せよ。 (30) 2×15

1 二国間に**カイ**在する壁を取り除く。
2 生前に寺から**カイ**名を授けられた。
3 土地の境**カイ**にへいを設ける。
(ア 介　イ 皆　ウ 回　エ 戒　オ 界)

4 裁判所は和解を**カン**告した。
5 周囲に**カン**視の目を光らせる。
6 発**カン**作用のある薬を服用する。
(ア 監　イ 鑑　ウ 汗　エ 勧　オ 歓)

7 若くして**キョ**万の富と名声を得た。
8 教科書に準**キョ**した参考書だ。
9 彼の一**キョ**手一投足に注目する。
(ア 挙　イ 距　ウ 許　エ 拠　オ 巨)

10 自信がなく語**ビ**があいまいになる。
11 直立して**ビ**動だにしない。
12 教室の**ビ**品が不足している。
(ア 鼻　イ 尾　ウ 微　エ 美　オ 備)

㈣ **熟語の構成**のしかたには次のようなものがある。 (20) 2×10

ア 同じような意味の漢字を重ねたもの (**岩石**)
イ 反対または対応の意味を表す字を重ねたもの (**高低**)
ウ 上の字が下の字を修飾しているもの (**洋画**)
エ 下の字が上の字の目的語・補語になっているもの (**着席**)
オ 上の字が下の字の意味を打ち消しているもの (**非常**)

次の熟語は右の**ア～オ**のどれにあたるか、**一つ**選び、**記号にマーク**せよ。

1 到達
2 即答
3 栄枯

6 腕力
7 皮膚
8 求婚

15 近ごろ凶悪な犯罪が多発している。
16 舗道の敷石に工夫がこらしてある。
17 新人画家の非凡な才能に驚嘆した。
18 後継者不足の対策を練る。
19 雑誌に書評を寄稿する。
20 原野を開拓して農地にした。
21 二位以下を大きく離して優勝した。
22 猛吹雪で山小屋に閉じ込められる。
23 わがチームは三連勝で勝ち越した。
24 祖母が作る煮物は格別だ。
25 飾り気のない言葉で思いを伝える。
26 俳優は役に合わせて丸刈りにした。
27 腰抜けだと言われたくない。
28 試験範囲が狭められた。
29 屋根でカラスが騒いでいる。
30 茶摘みの季節がやって来た。

13 同窓会で昔話に花がサいた。
14 水たまりをサけて歩く。
15 はだをサすような寒風が吹く。
（ア 避　イ 覚　ウ 指　エ 刺　オ 咲）

(三) 1～5の三つの□に**共通する漢字**を入れて熟語を作れ。漢字はア～コから**一つ**選び、**記号にマーク**せよ。 (10) 2×5

1 □礼・□歴・一□
2 □日・額□・血□
3 □中・統□・□用
4 □心・□食・□敗
5 □笛・□氷・朝□

ア 御	イ 召	ウ 依	エ 巡	オ 吹
カ 腐	キ 荒	ク 彩	ケ 霧	コ 縁

4 執筆
5 攻防
9 不朽
10 援助

(五) 次の漢字の**部首**をア～エから**一つ**選び、**記号にマーク**せよ。 (10) 1×10

1 皆（ア 比　イ 匕　ウ 白　エ 日）
2 監（ア 臣　イ ノ　ウ 二　エ 皿）
3 突（ア 八　イ 宀　ウ 穴　エ 大）
4 劣（ア 力　イ 小　ウ ノ　エ 亅）
5 項（ア 工　イ 頁　ウ 貝　エ 八）
6 釈（ア 禾　イ 釆　ウ 人　エ 尸）
7 輩（ア 車　イ 日　ウ 一　エ 非）
8 黙（ア 里　イ 犬　ウ 黒　エ 灬）
9 誉（ア ⺍　イ 一　ウ 八　エ 言）
10 慮（ア 虍　イ 厂　ウ 田　エ 心）

㈥ 後の□内のひらがなを漢字に直して□に入れ、**対義語**・**類義語**を作れ。□内のひらがなは一度だけ使い、**答案用紙に一字記入**せよ。 **(20)** 2×10

対義語

1 決定―保□

2 故意―□失

3 強固―□弱

4 誕生―永□

5 供給―□要

類義語

6 周辺―近□

7 道端―路□

8 老年―高□

9 真価―本□

㈧ 文中の**四字熟語**の――線の**カタカナ**を**漢字**に直せ。**答案用紙**に**一字記入**せよ。 **(20)** 2×10

1 昔から**悪事千リ**を走るという。

2 **博ラン強記**の作家として知られる。

3 **面ジュウ腹背**の部下ばかりだ。

4 社長自ら**ジン頭指揮**を執った。

5 両者は**トウ志満々**で向かい合った。

6 師の教えを**金カ玉条**と心得ている。

7 昔からの**良風美ゾク**を守る。

8 **多事多ボウ**で休みが取れない。

9 **花チョウ風月**を友とする生活だ。

㈩ 次の――線の**カタカナ**を**漢字**に直せ。 **(40)** 2×20

1 万一に備えて食料を**チョゾウ**する。

2 王宮では毎晩**ブトウ**会が開かれた。

3 **シンチョウ**に検討をして決める。

4 友人の栄転を祝って**カンパイ**する。

5 **メンミツ**な計画を立てて実行に移す。

6 幼いころ覚えた**ドウヨウ**を口ずさむ。

7 会長に意見するとはいい**ドキョウ**だ。

8 **ケントウシ**に関する歴史書を読む。

9 **タイシン**構造のマンションに住む。

10 助走をつけて高く**チョウヤク**する。

10 **同感**――**共**□

か・じゅ・はく・ぼう・みん・めい・りゅう・りょう・りん・れい

(七) 次の――線の**カタカナ**を**漢字一字**と**送りがな**（**ひらがな**）に直せ。 (10) 2×5

〈例〉問題に**コタエル**。 答える

1 一人前の大人として**アツカウ**。

2 失敗して大きな痛手を**コウムル**。

3 甘い言葉に**マドワサ**れた。

4 **ヤワラカナ**日差しを浴びる。

5 川にささ舟を**ウカベル**。

---

10 **ケン愛無私**の精神で人と接したい。

(九) 次の各文にまちがって使われている**同じ読みの漢字**が**一字**ある。**上に誤字**を、**下に正しい漢字**を記せ。 (10) 2×5

1 美しい自然に調和する都市景観を形成するため、市では屋外広告物を祈制する条例を設けた。

2 人種・宗教などの理由による本国の拍害から逃れてきた人々を難民と認定する制度がある。

3 集中豪雨による増水で川の提防が決壊し、濁流が付近の田畑に流れ込んでいる。

4 小学生と保護者を対照にした夏休みの手話体験教室には多数の参加があった。

5 生態系に悪影恐を及ぼす特定外来生物について、生息状況などの調査結果が報告された。

---

11 帰る**トチュウ**に買い物をした。

12 雪景色を見ながら**ロテン**ぶろに入る。

13 神社の**ホンデン**に参拝した。

14 太陽の**メグ**みを受けて野菜が育つ。

15 ヨーグルトにはちみつを**タ**らす。

16 年末に和室の**タタミガ**えをした。

17 汽車が黒い煙を**ハ**いて走っている。

18 少年は**ホコ**らしげに手を振った。

19 **ヒマ**を見つけては映画館へ通う。

20 山の**イタダキ**にはホテルがある。

4級 総まとめ 答案用紙

※実際の検定での用紙の大きさとは異なります。

(一) 読み (30)

1	2	3	4	5	6	7	8	9	10	11	12	13	14

1×30

(二) 同音・同訓異字 (30)

1	2	3	4	5	6	7	8	9	10
[ア][イ][ウ][エ][オ]	[ア][イ][ウ][エ][オ]	[ア][イ][ウ][エ][オ]	[ア][イ][ウ][エ][オ]	[ア][イ][ウ][エ][オ]	[ア][イ][ウ][エ][オ]	[ア][イ][ウ][エ][オ]	[ア][イ][ウ][エ][オ]	[ア][イ][ウ][エ][オ]	[ア][イ][ウ][エ][オ]

2×15

(四) 熟語の構成 (20)

1	2	3	4	5	6	7	8	9	10
[ア][イ][ウ][エ][オ]	[ア][イ][ウ][エ][オ]	[ア][イ][ウ][エ][オ]	[ア][イ][ウ][エ][オ]	[ア][イ][ウ][エ][オ]	[ア][イ][ウ][エ][オ]	[ア][イ][ウ][エ][オ]	[ア][イ][ウ][エ][オ]	[ア][イ][ウ][エ][オ]	[ア][イ][ウ][エ][オ]

2×10

(六) 対義語・類義語 (20)

1	2	3	4	5	6	7	8	9	10

2×10

(八) 四字熟語 (20)

1	2	3	4	5	6	7	8	9	10

2×10

(十) 書き取り (40)

1	2	3	4	5	6	7	8	9	10

2×20

総得点
/200

30	29	28	27	26	25	24	23	22	21	20	19	18	17	16	15

(三) 漢字識別 (10)

5	4	3	2	1
[ア][イ][ウ][エ][オ] [カ][キ][ク][ケ][コ]	[ア][イ][ウ][エ][オ] [カ][キ][ク][ケ][コ]	[ア][イ][ウ][エ][オ] [カ][キ][ク][ケ][コ]	[ア][イ][ウ][エ][オ] [カ][キ][ク][ケ][コ]	[ア][イ][ウ][エ][オ] [カ][キ][ク][ケ][コ]

2×5

15	14	13	12	11
[ア][イ][ウ][エ][オ]	[ア][イ][ウ][エ][オ]	[ア][イ][ウ][エ][オ]	[ア][イ][ウ][エ][オ]	[ア][イ][ウ][エ][オ]

(五) 部首 (10)

10	9	8	7	6	5	4	3	2	1
[ア][イ][ウ][エ]	[ア][イ][ウ][エ]	[ア][イ][ウ][エ]	[ア][イ][ウ][エ]	[ア][イ][ウ][エ]	[ア][イ][ウ][エ]	[ア][イ][ウ][エ]	[ア][イ][ウ][エ]	[ア][イ][ウ][エ]	[ア][イ][ウ][エ]

1×10

(七) 漢字と送りがな (10)

5	4	3	2	1

2×5

(九) 誤字訂正 (10)

5	4	3	2	1	
					誤
					正

2×5

20	19	18	17	16	15	14	13	12	11

学年別漢字配当表

「小学校学習指導要領」（平成23年度実施《じっし》）による

	ア	イ	ウ	エ	オ	カ	キ	ク	ケ	コ	サ
1年【10級】		一	右雨	円	王音	下火花貝学	気九休玉金	空	月犬見	五口校	左三山
2年【9級】		引	羽雲	園遠		何科夏家歌画回会海絵外角楽活間丸岩顔	汽記帰弓牛魚京強教近		兄形計元言原	戸古午後語工公広交光考行高黄合谷国黒今	才細作算
3年【8級】	悪安暗	医委意育員院飲	運	泳駅	央横屋温	化荷界開階寒感漢館岸	起期客究急級宮球去橋業曲局銀	区苦具君	係軽血決研県	庫湖向幸港号根	祭皿
4年【7級】	愛案	以衣位囲胃印		英栄塩	億	加果貨課芽改械害街各覚完官管関観願	希季紀喜旗器機議求泣救給挙漁共協鏡競極	訓軍郡	径型景芸欠結建健験	固功好候航康告	差菜最材昨札刷殺察参産散残
5年【6級】	圧	移因		永営衛易益液演	応往桜恩	可仮価河過賀快解格確額刊幹慣眼	基寄規技義逆久旧居許境均禁	句群	経潔件券険検限現減	故個護効厚耕鉱構興講混	査再災妻採際在財罪雑酸賛
6年【5級】		異遺域	宇	映延沿		我灰拡革閣割株干巻看簡	危机揮貴疑吸供胸郷勤筋		系敬警劇激穴絹権憲源厳	己呼誤后孝皇紅降鋼刻穀骨困	砂座済裁策冊蚕

シ	ス	セ	ソ	タ	チ	ツ	テ	ト	ナ	ニ	ネ
子四糸字耳七車手十出女小上森人	水	正生青夕石赤千川先	早草足村	大男	竹中虫町		天田	土		二日入	年
止市矢姉思紙寺自時室社弱首秋週春書少場色食心新親	図数	西声星晴切雪船線前	組走	多太体台	地池知茶昼長鳥朝直	通	弟店点電	刀冬当東答頭同道読	内南	肉	
仕死使始指歯詩次事持式実写者主守取酒受州拾終習集住重宿所暑助昭消商章勝乗植申身神真深進		世整昔全	相送想息速族	他打対待代第題炭短談	着注柱丁帳調	追	定庭笛鉄転	都度投豆島湯登等動童			
士氏史司試児治辞失借種周祝順初松笑唱焼象照賞臣信		成省清静席積折節説浅戦選然	争倉巣束側続卒孫	帯隊達単	置仲貯兆腸		低底停的典伝	徒努灯堂働特得毒			熱念
支志枝師資飼示似識質舎謝授修述術準序招承証条状常情織職		制性政勢精製税責績接設舌絶銭	祖素総造像増則測属率損	退貸態団断	築張		提程適敵	統銅導徳独		任	燃
至私姿視詞誌磁射捨尺若樹収宗就衆従縦縮熟純処署諸除将傷障城蒸針仁	垂推寸	盛聖誠宣専泉洗染善	奏窓創装層操蔵臓存尊	宅担探誕段暖	値宙忠著庁頂潮賃	痛	展	討党糖届	難	乳認	

	ワ	ロ	レ	ル	リ	ラ	ヨ	ユ	ヤ	モ	メ	ム	ミ	マ		ホ	ヘ		フ		ヒ		ハ	ノ	
学年字数 80字 累計《るいけい》字数 80字		六			立力林					目	名					木本			文		百		白八		1年【10級】
学年字数 160字 累計字数 240字	話				里理	来	用曜	友	夜野	毛門	明鳴			毎妹万		歩母方北	米		父風分聞				馬売買麦半番		2年【9級】
学年字数 200字 累計字数 440字	和	路	礼列練		流旅両緑	落	予羊洋葉陽様	由油有遊	役薬	問	命面		味			放	平返勉		負部服福物	表秒病品	皮悲美鼻筆氷	反坂板	波配倍箱畑発	農	3年【8級】
学年字数 200字 累計字数 640字		老労録	令冷例歴連	類	利陸良料量輪		要養浴	勇	約			無	未脈民	末満		包法望牧	兵別辺変便		不夫付府副粉		飛費必票標		敗梅博飯		4年【7級】
学年字数 185字 累計字数 825字					略留領		余預容	輸			迷綿	務夢			暴	保墓報豊防貿	編弁	仏	布婦富武復複	貧	比肥非備俵評		破犯判版	能	5年【6級】
学年字数 181字 累計字数 1006字		朗論			裏律臨	乱卵覧	幼欲翌	郵優	訳	模	盟		密	枚幕	棒	補暮宝訪亡忘	並陛閉片		腹奮		否批秘	晩	派拝背肺俳班	納脳	6年【5級】

級別漢字表

（小学校学年別配当漢字を除く一一三〇字）

4級

ア	握扱
イ	依威為偉違維緯壱芋陰隠
ウ	
エ	影鋭越援煙鉛縁
オ	汚押奥憶
カ	菓暇箇雅介戒皆壊較獲刈甘汗乾勧歓監環鑑含
キ	奇祈鬼幾輝儀戯詰却脚及丘朽巨拠距御凶叫狂況狭恐響驚仰
ク	駆屈掘繰
ケ	恵傾継迎撃肩兼剣軒圏堅遣玄
コ	枯誇鼓互抗攻更恒荒香項稿豪込婚
サ	鎖彩歳載剤咲惨
シ	旨伺刺脂紫雌

シ 続く

3級

ア	哀
イ	慰
ウ	
エ	詠悦閲炎宴
オ	欧殴乙卸穏
カ	佳架華嫁餓怪悔塊慨該概郭隔穫岳掛滑肝冠勘貫喚換敢緩
キ	企岐忌軌既棋棄騎欺犠菊吉喫虐虚峡脅凝斤緊
ク	愚偶遇
ケ	刑契啓掲携憩鶏鯨倹賢幻
コ	孤弧雇顧娯悟孔巧甲坑拘郊控慌硬絞綱酵克獄恨紺魂墾
サ	債催削搾錯撮擦暫
シ	祉施諮侍慈軸

シ 続く

準2級

ア	亜
イ	尉逸姻韻
ウ	畝浦
エ	疫謁猿
オ	凹翁虞
カ	渦禍靴寡稼蚊拐懐劾涯垣核殻嚇潟括喝渇褐轄且缶陥患堪棺款閑寛憾還艦頑
キ	飢宜偽擬糾窮拒享挟恭矯暁菌琴謹襟吟
ク	隅勲薫
ケ	茎渓蛍慶傑嫌献謙繭顕懸弦
コ	呉碁江肯侯洪貢溝衡購拷剛酷昆懇
サ	佐唆詐砕宰栽斎崎索酢桟傘
シ	肢嗣賜滋璽漆

シ 続く

2級

ア	挨曖宛嵐
イ	畏萎椅彙茨咽淫
ウ	唄鬱
エ	怨媛艶
オ	旺岡臆俺
カ	苛牙瓦楷潰諧崖蓋骸柿顎葛釜鎌韓玩
キ	伎亀毀畿臼嗅巾僅錦
ク	惧串窟熊
ケ	詣憬稽隙桁拳鍵舷
コ	股虎錮勾梗喉乞傲駒頃痕
サ	沙挫采塞埼柵刹拶斬
シ	恣摯餌鹿叱嫉

シ 続く

	4級	3級	準2級	2級
シ 続き	執芝斜煮釈寂朱狩趣需舟秀襲柔獣瞬旬巡盾召床沼称紹詳丈畳殖飾触侵振浸寝慎震薪尽陣尋	疾湿赦邪殊寿潤遵如徐匠昇掌晶焦衝鐘冗嬢錠譲嘱辱伸辛審	遮蛇酌爵珠儒囚臭愁酬醜汁充渋銃叔淑粛塾俊准殉循庶緒叙升抄肖尚宵症祥渉訟硝粧詔奨彰償礁浄剰縄壌醸津唇娠紳診刃迅甚	腫呪袖羞蹴憧拭尻芯腎
ス	吹	炊粋衰酔遂穂随髄	帥睡枢崇据杉	須裾
セ	是井姓征跡占扇鮮	瀬牲婿請斥隻惜籍摂潜繕	斉逝誓析拙窃仙栓旋践遷薦繊禅漸	凄醒脊戚煎羨腺詮箋膳
ソ	訴僧燥騒贈即俗	阻措粗礎双桑掃葬遭憎促賊	租疎塑壮荘捜挿曹喪槽霜藻	狙遡曽爽痩踪捉遜
タ	耐替沢拓濁脱丹淡嘆端弾	怠胎袋逮滞滝択卓託諾奪胆鍛壇	妥堕惰駄泰濯但棚	汰唾堆戴誰旦綻
チ	恥致遅蓄沖跳徴澄沈珍	稚畜窒抽鋳駐彫超聴陳鎮	痴逐秩嫡衷弔挑眺釣懲勅朕	緻酎貼嘲捗
ツ		墜	塚漬坪	椎爪鶴
テ	抵堤摘滴添殿	帝訂締哲	呈廷邸亭貞逓偵艇泥迭徹撤	諦溺塡
ト	吐途渡奴怒到逃倒唐桃透盗塔稲踏闘胴峠突鈍曇	斗塗凍陶痘匿篤豚	悼搭棟筒謄騰洞督凸屯	妬賭藤瞳栃頓貪丼
ナ			軟	那奈梨謎鍋
ニ	弐	尿	尼妊忍	匂虹
ネ		粘	寧	捻
ノ	悩濃			

	ハ		ヒ		フ		ヘ	ホ			マ	ミ	ム	メ	モ	ヤ	ユ	ヨ	ラ	リ		ル	レ	ロ	ワ
計316字 5級まで1006字 累計《るいけい》1322字	杯輩拍泊迫薄爆髪	抜罰般販搬範繁盤	彼疲被避尾微匹描	浜敏	怖浮普腐敷膚賦舞	幅払噴	柄壁	捕舗抱峰砲忙坊肪	冒傍帽凡盆		慢漫	妙眠	矛霧娘		茂猛網黙紋	躍	雄	与誉溶腰踊謡翼	雷頼絡欄	離粒慮療隣		涙	隷齢麗暦劣烈恋	露郎	惑腕
計285字 4級まで1322字 累計1607字	婆排陪縛伐帆伴畔	藩蛮	卑碑泌姫漂苗		赴符封伏覆紛墳		癖	募慕簿芳邦奉胞倣	崩飽縫乏妨房某膨	謀墨没翻	魔埋膜又	魅		滅免			幽誘憂	揚揺擁抑	裸濫	吏隆了猟陵糧厘			励零霊裂廉錬	炉浪廊楼漏	湾
計333字 3級まで1607字 累計1940字	把覇廃培媒賠伯舶	漠肌鉢閥煩頒	妃披扉罷猫賓頻瓶		扶附譜侮沸雰憤		丙併塀幣弊偏遍	泡俸褒剖紡朴僕撲	堀奔		麻摩磨抹	岬		銘	妄盲耗	厄	愉諭癒唯悠猶裕融	庸窯	羅酪	痢履柳竜硫虜涼僚	寮倫	累塁	戻鈴		賄枠
計196字 準2級まで1940字 累計2136字	罵剥箸氾汎阪斑		眉膝肘		阜訃		蔽餅璧蔑	哺蜂貌頰睦勃			昧枕	蜜		冥麺		冶弥闇	喩湧	妖瘍沃	拉辣藍	璃慄侶瞭		瑠		呂賂弄籠麓	脇

部首一覧表

表の上には部首を画数順に配列し、下には漢字の中で占める位置によって形が変化するものや特別な名称を持つものを示す。

偏《へん》……
旁《つくり》……
冠《かんむり》……
脚《あし》……
垂《たれ》……
繞《にょう》……
構《かまえ》……

番号	部首	形	位置	名称
一画				
1	【一】	一		いち
2	【丨】	丨		ぼう たてぼう
3	【丶】	丶		てん
4	【丿】	丿		の はらいぼう
5	【乙】	乙		おつ
		乚	旁	おつ
6	【亅】	亅		はねぼう
二画				
7	【二】	二		に
8	【亠】	亠	冠	なべぶた けいさんかんむり
9	【人】	人		ひと
		亻	偏	にんべん
		𠆢	冠	ひとやね
10	【入】	入		いる
11	【儿】	儿		ひとあし にんにょう
12	【八】	八		はち
		八	脚	は
13	【冂】	冂	構	どうがまえ けいがまえ まきがまえ
14	【冖】	冖	冠	わかんむり
15	【冫】	冫		にすい
16	【几】	几		つくえ
17	【凵】	凵		うけばこ
18	【刀】	刀		かたな
		刂	旁	りっとう
19	【力】	力		ちから
20	【勹】	勹	構	つつみがまえ
21	【匕】	匕		ひ
22	【匚】	匚	構	はこがまえ
23	【匸】	匸	構	かくしがまえ
24	【十】	十		じゅう
25	【卜】	卜		と うらない
26	【卩】	卩		わりふ ふしづくり
		㔾		わりふ ふしづくり
27	【厂】	厂	垂	がんだれ
28	【厶】	厶		む
29	【又】	又		また
三画				
30	【口】	口		くち
		口	偏	くちへん
31	【囗】	囗	構	くにがまえ
32	【土】	土		つち
		土	偏	つちへん
33	【士】	士		さむらい
34	【夂】	夂	脚	すいにょう ふゆがしら
35	【夕】	夕		た ゆうべ
36	【大】	大		だい
37	【女】	女		おんな
		女	偏	おんなへん
38	【子】	子		こ
		子	偏	こへん
39	【宀】	宀	冠	うかんむり
40	【寸】	寸		すん
41	【小】	小		しょう
		⺌	冠	しょう

42	【尢】	尢	だいのまげあし
43	【尸】	尸	かばね しかばね
44	【屮】	屮	てつ
45	【山】	山	やま
		山	やまへん
46	【川】	川	かわ
		巛	かわ
47	【工】	工	え たくみ
		工	たくみへん
48	【己】	己	おのれ
49	【巾】	巾	はば
		巾	はばへん きんべん
50	【干】	干	かん いちじゅう
51	【幺】	幺	よう いとがしら
52	【广】	广	まだれ
53	【廴】	廴	えんにょう
54	【廾】	廾	こまぬき にじゅうあし
55	【弋】	弋	しきがまえ
56	【弓】	弓	ゆみ
		弓	ゆみへん
57	【彐】	彑	けいがしら
58	【彡】	彡	さんづくり
59	【彳】	彳	ぎょうにんべん
60	【⺍】	⺍	つかんむり

四画

忄↓心 扌↓手 氵↓水 犭↓犬 艹↓艸 辶↓辵 阝(右)↓邑 阝(左)↓阜

61	【心】	心	こころ
		忄	りっしんべん
		⺗	したごころ
62	【戈】	戈	ほこづくり ほこがまえ
63	【戸】	戸	と
		戸	とだれ とかんむり
64	【手】	手	て
		扌	てへん
65	【支】	支	し
66	【攴】	攵	のぶん ぼくづくり
67	【文】	文	ぶん
68	【斗】	斗	とます
69	【斤】	斤	きん
		斤	おのづくり
70	【方】	方	ほう
		方	ほうへん かたへん
71	【日】	日	ひ
		日	ひへん
72	【曰】	曰	ひらび いわく
73	【月】	月	つき
		月	つきへん
74	【木】	木	き
		木	きへん
75	【欠】	欠	あくび かける
76	【止】	止	とめる
77	【歹】	歹	かばねへん いちたへん がつへん
78	【殳】	殳	るまた ほこづくり
79	【毋】	毋	なかれ
80	【比】	比	ならびひ くらべる
81	【毛】	毛	け
82	【氏】	氏	うじ
83	【气】	气	きがまえ
84	【水】	水	みず

84	【水】	氵	さんずい
		氺	したみず
85	【火】	火	ひ
		火	ひへん
		灬	れんが／れっか
86	【爪】	爪	つめ
		爫	つめかんむり／つめがしら
87	【父】	父	ちち
88	【片】	片	かた
		片	かたへん
89	【牙】	牙	きば
90	【牛】	牛	うし
		牜	うしへん
91	【犬】	犬	いぬ
		犭	けものへん
			王・⺩→玉 耂→老 ネ→示 ⻌→辵
五画			
92	【玄】	玄	げん
93	【玉】	玉	たま
		王	おう
		⺩	おうへん／たまへん
94	【瓦】	瓦	かわら
95	【甘】	甘	かん／あまい
96	【生】	生	うまれる
97	【用】	用	もちいる
98	【田】	田	た
		田	たへん
99	【疋】	疋	ひき
		⺪	ひきへん
100	【疒】	疒	やまいだれ
101	【癶】	癶	はつがしら
102	【白】	白	しろ
103	【皮】	皮	けがわ
104	【皿】	皿	さら
105	【目】	目	め
		目	めへん
106	【矛】	矛	ほこ
107	【矢】	矢	や
		矢	やへん
108	【旡】	旡	なし／ぶ／すでのつくり
109	【石】	石	いし
		石	いしへん
110	【示】	示	しめす
		礻	しめすへん
111	【禾】	禾	のぎ
111	【禾】	禾	のぎへん
112	【穴】	穴	あな
		穴	あなかんむり
113	【立】	立	たつ
		立	たつへん
			氺→水 衤→衣 罒→网
六画			
114	【竹】	竹	たけ
		⺮	たけかんむり
115	【米】	米	こめ
		米	こめへん
116	【糸】	糸	いと
		糸	いとへん
117	【缶】	缶	ほとぎ
118	【网】	罒	あみがしら／あみめ／よこめ

119	120	121	122	123	124		125	126		127	128	129	130	131
【羊】	【羽】	【老】	【而】	【耒】	【耳】		【聿】	【肉】		【自】	【至】	【臼】	【舌】	【舟】
羊	羽	耂	而	耒	耳	耳	聿	肉	月	自	至	臼	舌	舟
ひつじ	はね	おいかんむり おいがしら	しかして しこうして	すきへん らいすき	みみ	みみへん	ふでづくり	にく	にくづき	みずから	いたる	うす	した	ふね

七画

131	132	133	134	135	136		137	138		139		140	
【舟】	【艮】	【色】	【艸】	【虍】	【虫】		【血】	【行】		【衣】		【襾】	
舟	艮	色	艹	虍	虫	虫	血	行	行	衣	衤	西	覀
ふねへん	ねづくり こんづくり	いろ	くさかんむり	とらがしら とらかんむり	むし	むしへん	ち	ぎょう	ぎょうがまえ ゆきがまえ	ころも	ころもへん	にし	おおいかんむり

141	142	143		144		145	146	147	148	149		150	151	
【見】	【臣】	【角】		【言】		【谷】	【豆】	【豕】	【豸】	【貝】		【赤】	【走】	
見	臣	角	角	言	言	谷	豆	豕	豸	貝	貝	赤	走	走
みる	しん	かく つの	つのへん	げん	ごんべん	たに	まめ	ぶた いのこ	むじなへん	かい こがい	かいへん	あか	はしる	そうにょう

152		153	154		155	156	157		158	159		160		161
【足】		【身】	【車】		【辛】	【辰】	【辵】		【邑】	【酉】		【釆】		【里】
足	𧾷	身	車	車	辛	辰	辶	⻎	阝	酉	酉	釆	釆	里
あし	あしへん	み	くるま	くるまへん	からい	しんのたつ	しんにょう しんにゅう	しんにょう しんにゅう	おおざと	ひよみのとり	とりへん	のごめ	のごめへん	さと

※注「⻎」については「遡・遜」のみに適用。

番号	部首	形	名称
161	【里】	里	さとへん
162	【舛】	舛	まいあし
163	【麦】	麦	むぎ
		麦	ばくにょう
八画			
164	【金】	金	かね
		金	かねへん
165	【長】	長	ながい
166	【門】	門	もん
		門	もんがまえ
167	【阜】	阜	おか
		阝	こざとへん
168	【隶】	隶	れいづくり
169	【隹】	隹	ふるとり
170	【雨】	雨	あめ
		雨	あめかんむり
171	【青】	青	あお
172	【非】	非	あらず ひ
173	【斉】	斉	せい
九画			
174	【面】	面	めん
175	【革】	革	かくのかわ つくりがわ
		革	かわへん
176	【音】	音	おと
177	【頁】	頁	おおがい
178	【風】	風	かぜ
179	【飛】	飛	とぶ
180	【食】	食	しょく
		飠	しょくへん
		𩙿	しょくへん
181	【首】	首	くび
182	【香】	香	か かおり
十画			
183	【馬】	馬	うま
		馬	うまへん
184	【骨】	骨	ほね
		骨	ほねへん
185	【高】	高	たかい
186	【髟】	髟	かみがしら
187	【鬯】	鬯	ちょう
188	【鬼】	鬼	おに
		鬼	きにょう
189	【韋】	韋	なめしがわ
190	【竜】	竜	りゅう
十一画			
191	【魚】	魚	うお
		魚	うおへん
192	【鳥】	鳥	とり
193	【鹿】	鹿	しか
194	【麻】	麻	あさ
195	【黄】	黄	き
196	【黒】	黒	くろ
197	【亀】	亀	かめ
十二画			
198	【歯】	歯	は
		歯	はへん
十三画			
199	【鼓】	鼓	つづみ
十四画			
200	【鼻】	鼻	はな

※注「𩙿」については「餌・餅」のみに適用。

中学校で学習する音訓一覧表

＊学習漢字のうち、中学校で習う読み方を学年・字音の五十音順に一覧表にした。

小学校1年	音	イン
	下	もと
	字	あざ
	耳	ジ
	手	た
	出	スイ
	女	ニョ め
	上	のぼ(せる) のぼ(す)
	生	お(う) き
	夕	セキ
	石	コク
	川	セン
	早	サッ
	文	ふみ
	目	ボク
小学校2年	羽	ウ
	園	その
	何	カ
	夏	ゲ
	外	ゲ
	弓	キュウ
	京	ケイ
	強	ゴウ し(いる)
	兄	ケイ
	後	おく(れる)
	公	おおやけ
	交	か(う) か(わす)
	黄	コウ こ
	谷	コク
	今	キン
	姉	シ
	室	むろ
	新	にい
	図	はか(る)
	声	こわ
	星	ショウ
	切	サイ
	体	テイ
	茶	サ
	弟	テイ デ
	頭	かしら
	内	ダイ
	麦	バク
	歩	ブ
	妹	マイ
	万	バン
	門	かど
	来	きた(る) きた(す)
小学校3年	化	ケ
	荷	カ
	客	カク
	究	きわ(める)
	宮	グウ
	業	わざ
	軽	かろ(やか)
	研	と(ぐ)
	幸	さち
	次	シ
	守	も(り)
	州	す
	拾	シュウ ジュウ
	集	つど(う)
	重	え
	助	すけ
	商	あきな(う)
	勝	まさ(る)
	申	シン
	神	かん
	昔	シャク
	相	ショウ
	速	すみ(やか)
	対	ツイ
	代	しろ
	丁	テイ
	調	ととの(う) ととの(える)
	度	タク たび
	童	わらべ
	発	ホツ
	反	タン
	鼻	ビ
	病	や(む)
	命	ミョウ
	面	おも おもて
	役	エキ
	有	ウ
	和	やわ(らぐ) やわ(らげる) なご(む) なご(やか)
小学校4年	衣	ころも
	街	カイ
	器	うつわ
	機	はた
	泣	キュウ
	競	きそ(う)
	極	ゴク きわ(める) きわ(まる) きわ(み)
	結	ゆ(う) ゆ(わえる)
	健	すこ(やか)
	氏	うじ
	試	ため(す)
	児	ニ
	辞	や(める)
	初	そ(める)
	笑	ショウ え(む)
	焼	ショウ
	省	かえり(みる)
	静	ジョウ
	浅	セン
	戦	いくさ
	仲	チュウ
	得	う(る)
	費	つい(やす) つい(える)
	夫	フウ
	望	モウ
	牧	まき
	民	たみ
	要	い(る)

小学校5年

仮	ケ
眼	まなこ
基	もと
技	わざ
境	ケイ
経	キョウ
故	ゆえ
厚	コウ
災	わざわ(い)
財	サイ
示	シ
似	ジ
質	シチ
謝	あやま(る)
授	さず(ける) さず(かる)
修	シュ
承	うけたまわ(る)
性	ショウ
精	ショウ
舌	ゼツ
銭	ぜに
素	ス
率	ソツ
損	そこ(なう) そこ(ねる)
貸	タイ
断	た(つ)
提	さ(げる)
程	ほど
敵	かたき
犯	おか(す)
貧	ヒン
報	むく(いる)
暴	バク
迷	メイ

小学校6年

遺	ユイ
映	は(える)
我	ガ わ
灰	カイ
革	かわ
割	カツ さ(く)
干	ひ(る)
危	あや(うい) あや(ぶむ)
机	キ
貴	たっと(い) とうと(い) たっと(ぶ) とうと(ぶ)
胸	むな
郷	ゴウ
穴	ケツ
厳	おごそ(か)
己	キ おのれ
紅	ク くれない
鋼	はがね
砂	シャ
座	すわ(る)
裁	た(つ)
若	ジャク
宗	ソウ
就	つ(く) つ(ける)
熟	う(れる)
除	ジ
傷	いた(む) いた(める)
蒸	む(す) む(れる) む(らす)
仁	ニ
推	お(す)
盛	セイ さか(る) さか(ん)
誠	まこと
専	もっぱ(ら)
染	セン
装	ショウ
操	あやつ(る)
蔵	くら
探	さぐ(る)
値	あたい
著	あらわ(す) いちじる(しい)
討	う(つ)
乳	ち
認	ニン
納	ナッ トウ
背	そむ(く) そむ(ける)
秘	ひ(める)
並	ヘイ
閉	と(ざす)
片	ヘン
暮	ボ
訪	おとず(れる)
忘	ボウ
優	やさ(しい) すぐ(れる)
欲	ほ(しい)
卵	ラン
裏	リ
臨	のぞ(む)
朗	ほが(らか)

高等学校で学習する音訓一覧表

＊学習漢字のうち、高等学校で習う読み方を学年・字音の五十音順に一覧表にした。

小学校1年

火	ほ
女	ニョウ
上	ショウ
青	ショウ
赤	シャク
天	あめ
白	ビャク
目	ま
立	リュウ

小学校2年

遠	オン
回	エ
会	エ
行	アン
矢	シ
食	ジキ く(らう)
数	ス
声	ショウ
通	ツ
頭	ト
道	トウ
南	ナ
馬	ま
風	フ
聞	モン
歩	フ

小学校3年

悪	オ
期	ゴ
宮	ク
業	ゴウ
庫	ク
仕	ジ
事	ズ
主	ス
神	こう
昔	セキ
想	ソ
着	ジャク
定	さだ(か)
度	ト
反	ホン
坂	ハン
氷	ひ
病	ヘイ
面	つら
由	ユイ よし
遊	ユ
流	ル
緑	ロク
礼	ライ
和	オ

小学校4年

栄	は(え) は(える)
各	おのおの
競	せ(る)
建	コン
験	ゲン
功	ク
候	そうろう
殺	サイ セツ
産	うぶ
祝	シュウ
初	うい
成	ジョウ
清	ショウ
節	セチ
説	ゼイ
巣	ソウ
兆	きざ(す) きざ(し)
灯	ひ
博	バク
兵	ヒョウ
法	ハッ ホッ
末	バツ
利	き(く)
老	ふ(ける)

小学校5年

因	よ(る)
益	ヤク
桜	オウ
価	あたい
過	あやま(つ) あやま(ち)
解	ゲ
格	コウ
眼	ゲン
基	もとい
久	ク
潔	いさぎよ(い)
興	おこ(る) おこ(す)
際	きわ
酸	す(い)
枝	シ
質	チ
常	とこ
情	セイ
織	ショク
政	ショウ まつりごと
接	つ(ぐ)
団	トン
統	す(べる)
富	フウ
暴	あば(く)

小学校6年

供	ク
勤	ゴン
絹	ケン
権	ゴン
厳	ゴン
冊	サク
若	ニャク も(しくは)
就	ジュ
衆	シュ
従	ショウ ジュ
障	さわ(る)
盛	ジョウ
染	し(みる) し(み)
奏	かな(でる)
装	よそお(う)
操	みさお
担	かつ(ぐ) にな(う)
難	かた(い)
納	ナ ナン
否	いな
亡	モウ な(い)
欲	ほっ(する)
律	リチ

常用漢字表 付表（熟字訓・当て字　一一六語）

＊小・中・高：小学校・中学校・高等学校のどの時点で学習するかの割り振りを示した。

※以下に挙げられている語を構成要素の一部とする熟語に用いてもかまわない。

例「河岸（かし）」→「魚河岸（うおがし）」／「居士（こじ）」→「一言居士（いちげんこじ）」

語	読み	小	中	高
明日	あす	●		
小豆	あずき		●	
海女 海士	あま			●
硫黄	いおう		●	
意気地	いくじ		●	
田舎	いなか		●	
息吹	いぶき			●
海原	うなばら		●	
乳母	うば		●	
浮気	うわき			●
浮つく	うわつく		●	
笑顔	えがお		●	
叔父 伯父	おじ		●	
大人	おとな	●		
乙女	おとめ		●	
叔母 伯母	おば		●	
お巡りさん	おまわりさん		●	
お神酒	おみき			●
母屋 母家	おもや			●
母さん	かあさん	●		
神楽	かぐら			●
河岸	かし			●
鍛冶	かじ		●	
風邪	かぜ		●	
固唾	かたず		●	
仮名	かな		●	
蚊帳	かや			●
為替	かわせ		●	
河原 川原	かわら	●		
昨日	きのう	●		
今日	きょう	●		
果物	くだもの	●		
玄人	くろうと			●
今朝	けさ	●		
景色	けしき	●		
心地	ここち		●	
居士	こじ			●
今年	ことし	●		
早乙女	さおとめ		●	
雑魚	ざこ			●
桟敷	さじき			●
差し支える	さしつかえる		●	
五月	さつき		●	
早苗	さなえ		●	
五月雨	さみだれ		●	
時雨	しぐれ		●	
尻尾	しっぽ		●	

竹刀	しない		●	
老舗	しにせ		●	
芝生	しばふ		●	
清水	しみず	●		
三味線	しゃみせん		●	
砂利	じゃり		●	
数珠	じゅず			●
上手	じょうず	●		
白髪	しらが		●	
素人	しろうと			●
師走	しわす（しはす）			●
数寄屋 数奇屋	すきや			●
相撲	すもう		●	
草履	ぞうり		●	
山車	だし			●
太刀	たち		●	
立ち退く	たちのく		●	
七夕	たなばた	●		
足袋	たび		●	
稚児	ちご			●
一日	ついたち	●		
築山	つきやま			●
梅雨	つゆ		●	
凸凹	でこぼこ		●	
手伝う	てつだう	●		
伝馬船	てんません			●
投網	とあみ			●
父さん	とうさん	●		
十重二十重	とえはたえ			●
読経	どきょう			●
時計	とけい	●		
友達	ともだち	●		
仲人	なこうど			●
名残	なごり		●	
雪崩	なだれ		●	
兄さん	にいさん	●		
姉さん	ねえさん	●		
野良	のら			●
祝詞	のりと			●
博士	はかせ	●		
二十 二十歳	はたち		●	
二十日	はつか	●		
波止場	はとば		●	
一人	ひとり	●		
日和	ひより		●	
二人	ふたり	●		
二日	ふつか	●		
吹雪	ふぶき		●	
下手	へた	●		
部屋	へや	●		
迷子	まいご	●		
真面目	まじめ	●		
真っ赤	まっか	●		
真っ青	まっさお	●		
土産	みやげ		●	
息子	むすこ		●	
眼鏡	めがね	●		
猛者	もさ			●
紅葉	もみじ		●	
木綿	もめん		●	
最寄り	もより		●	
八百長	やおちょう			●
八百屋	やおや	●		
大和	やまと		●	
弥生	やよい		●	
浴衣	ゆかた			●
行方	ゆくえ		●	
寄席	よせ			●
若人	わこうど		●	

二とおりの読み

↓のようにも読める。

「常用漢字表」（平成22年）本表備考欄による

語	読み	↓
遺言	ユイゴン	イゴン
奥義	オウギ	おくギ
堪能	カンノウ	タンノウ
吉日	キチジツ	キツジツ
兄弟	キョウダイ	ケイテイ
甲板	カンパン	コウハン
合点	ガッテン	ガテン
昆布	コンブ	コブ
紺屋	コンや	コウや
詩歌	シカ	シイカ
七日	なのか	なぬか
老若	ロウニャク	ロウジャク
寂然	セキゼン	ジャクネン
法主	ホッス	ホウシュ ホッシュ
十	ジッ	ジュッ
情緒	ジョウチョ	ジョウショ
憧憬	ショウケイ	ドウケイ
人数	ニンズ	ニンズウ
寄贈	キソウ	キゾウ
側	がわ	かわ
唾	つば	つばき
愛着	アイジャク	アイチャク
執着	シュウジャク	シュウチャク
貼付	チョウフ	テンプ
難しい	むずかしい	むつかしい
分泌	ブンピツ	ブンピ
富貴	フウキ	フッキ
文字	モンジ	モジ
大望	タイモウ	タイボウ
頬	ほお	ほほ
末子	バッシ	マッシ
末弟	バッテイ	マッテイ
免れる	まぬかれる	まぬがれる
妄言	ボウゲン	モウゲン
面目	メンボク	メンモク
問屋	とんや	といや
礼拝	ライハイ	レイハイ

注意すべき読み

「常用漢字表」（平成22年）本表備考欄による

三位一体	サンミイッタイ
従三位	ジュサンミ
一羽	イチわ
三羽	サンば
六羽	ロッぱ
春雨	はるさめ
小雨	こさめ
霧雨	きりさめ
因縁	インネン
親王	シンノウ
勤王	キンノウ
反応	ハンノウ
順応	ジュンノウ
観音	カンノン
安穏	アンノン
天皇	テンノウ
身上	シンショウ シンジョウ （読み方により意味が違う）
一把	イチワ
三把	サンバ
十把	ジッ（ジュッ）パ

■編集協力―株式会社エイティエイト・株式会社一校舎
■制作協力―株式会社８０３・株式会社昭英社・
株式会社渋谷文泉閣・株式会社イシワタグラフィックス・
株式会社暁和・株式会社瀬口デザイン事務所・
有限会社アートボックス・福井　愛
■写真―オアシス

漢検　４級　漢字学習ステップ　改訂三版

2017年12月30日　第1版第10刷　発行
編　者　公益財団法人　日本漢字能力検定協会
発行者　高坂　節三
印刷所　三省堂印刷株式会社

発行所　公益財団法人　日本漢字能力検定協会
〒605-0074　京都市東山区祇園町南側551番地
☎075(757)8600
ホームページ http://www.kanken.or.jp/

Printed in Japan
ISBN978-4-89096-219-8 C0081

4級

標準解答

別冊

改訂三版
漢検 漢字学習ステップ

「標準解答」は
別冊になっています
ので本体からはなし
てお使いください。

漢検 公益財団法人 日本漢字能力検定協会

700219 (1-10)

ステップ1

P.8 **1**

1 えら
2 いしん
3 いぜん
4 いじん
5 まちが
6 さくい
7 にぎ
8 いはん
9 あくりょく
10 いよう
11 あつか
12 いげん
13 じんいてき
14 いせい
15 いせいしゃ
16 いぎょう
17 ちが
18 あやま
19 うか
20 おおやけ
21 いちあく
22 にぎ
23 そうい
24 すじちが

P.9 **2**

1 糸 いとへん
2 亻 にんべん
3 扌 てへん
4 亻 にんべん
5 辶 しんにょう・しんにゅう
6 扌 てへん
7 艹 くさかんむり
8 灬 れんが・れっか
9 土 つちへん
10 女 おんな

3

1 行為
2 規模
3 威力
4 維持
5 違憲
6 依願
7 興奮
8 明朗
9 資源
10 著述

P.10 **4**

1 威張
2 行為
3 維持
4 見違
5 握手
6 偉大
7 握
8 違法
9 扱
10 偉
11 依存
12 違
13 異
14 設
15 移住
16 営
17 花園
18 文月
19 地域
20 圧縮
21 回答
22 解答
23 映
24 写

ステップ2

P.12 **1**

1 せいえん
2 かげえ
3 ほくい
4 こ
5 かげ
6 しえん
7 いち
8 とうえい
9 かく
10 えいかく
11 いんき
12 ゆうえつ
13 いんきょ
14 するど
15 こかげ
16 さといも
17 うもう
18 うちょうてん
19 えっけん
20 こ
21 えいぞう
22 かげぼうし
23 いんぜん
24 かく

P.13 **2**

1 暖
2 受
3 陰
4 減
5 緯
6 縦
7 異
8 動
9 楽
10 因

3

1 依
2 移
3 意
4 易
5 遺
6 違
7 異
8 為
9 維
10 緯
11 以
12 囲
13 医
14 威
15 衣
16 委

P.14 **4**

1 鋭意
2 芋
3 人影
4 援助
5 陰影
6 越
7 壱
8 越冬
9 陰干
10 鋭
11 光陰
12 隠
13 緯度
14 胃腸
15 移
16 印刷
17 至
18 敬
19 鋭利
20 営利
21 計
22 測
23 量
24 図

ステップ3

P.16 **1**

1 せいか　2 よご　3 えんう　4 おくそく　5 お　6 なまりいろ　7 おく　8 けむ　9 ついおく　10 ふちど　11 おくば　12 えんちょく　13 えん　14 おすい　15 けむり　16 えんこ　17 お　18 おごそ　19 おてん　20 きたな　21 きえん　22 がくぶち　23 えんがい　24 けむ

P.17 **2**

1 維　2 汚　3 挙　4 鋭　5 命　6 無　7 得　8 為　9 機　10 路

3

1 イ　2 エ　3 ウ　4 ウ　5 オ　6 イ　7 ウ　8 ア　9 オ

P.18 **4**

1 綿菓子　2 汚　3 煙　4 押　5 縁起　6 鉛筆　7 記憶　8 煙　9 山奥　10 鉛　11 汚　12 禁煙　13 冷菓　14 目白押　15 演奏　16 往復　17 沿岸　18 織　19 姿勢　20 慣　21 異義　22 異議　23 暖　24 温

ステップ4

P.20 **1**

1 えもの　2 かいご　3 けいかい　4 ふうが　5 かいさい　6 ぎょかいるい　7 こわ　8 かしょ　9 かいきん　10 かくとく　11 みな　12 ががく　13 ひかくてき　14 ひま　15 はかい　16 いまし　17 すんか　18 うなばら　19 そんかい　20 こわ　21 よか　22 ひま　23 じかい　24 いまし

P.21 **2**

1 暇　2 調　3 尊　4 獲　5 違　6 援　7 密　8 較　9 映　10 壊

3

1 犭 けものへん　2 大 だい　3 日 ひへん　4 士 さむらい　5 戈 ほこづくり・ほこがまえ　6 隹 ふるとり　7 白 しろ　8 土 つちへん　9 刂 りっとう　10 巾 はば

P.22 **4**

1 獲物　2 戒律　3 休暇　4 皆無　5 暇　6 比較　7 皆様　8 優雅　9 壊　10 介入　11 漁獲　12 決壊　13 箇条書　14 蚕　15 補　16 早急　17 温暖　18 延期　19 染　20 移動　21 異同　22 異動　23 開　24 空

ステップ5

1 P.24

1 いんかん
2 かんこ
3 か
4 かんたい
5 かんしゅう
6 かわ
7 かんじゅ
8 かんこく
9 あせ
10 かんじょう
11 かんし
12 あま
13 かんぎょう
14 かんさつ
15 かんぶつ
16 すす
17 あまざけ
18 かんし
19 かんがん
20 かん
21 かんき
22 かわ
23 かんび
24 あま

2 P.25

1 かす
2 く
3 れる
4 す
5 れる
6 す
7 え
8 う
9 え
10 やかし

3

1 退
2 甘
3 皆
4 臨
5 戒
6 憶
7 密
8 鉛
9 革
10 違

4 P.26

1 乾電池
2 甘
3 歓心
4 一汗
5 監査
6 乾
7 鑑賞
8 刈
9 発汗
10 勧
11 甘味料
12 環境
13 歓談
14 株
15 仮
16 簡潔
17 看板
18 改革
19 専念
20 厳戒
21 限界
22 暑
23 熱
24 厚

ステップ6

1 P.28

1 ぎが
2 き
3 ふく
4 ぎょうぎ
5 きさい
6 いの
7 きせき
8 きがん
9 ぎきょく
10 かがや
11 がんみ
12 いく
13 いぎ
14 きじゅつ
15 おに
16 いくた
17 お
18 かえり
19 ほうがん
20 ふく
21 えんだん
22 きんぶち
23 おすい
24 よご

2 P.29

1 オ
2 イ
3 ア
4 オ
5 ウ
6 イ
7 ア
8 エ
9 ウ

3

1 壊
2 鬼
3 長
4 疑
5 暗
6 環
7 因
8 栄
9 奇
10 依

4 P.30

1 鬼
2 幾
3 光輝
4 祈
5 余儀
6 鬼門
7 含
8 祈念
9 輝
10 数奇
11 遊戯
12 含有
13 規則
14 暮
15 危険
16 減
17 伝授
18 帯
19 菓子
20 歌詞
21 解禁
22 皆勤
23 上
24 挙

力だめし 第1回

P.31

1

1 あつか　2 きい　3 いせん　4 かんてい　5 いかん
6 なまり　7 わがし　8 えっきょう　9 あせみず　10 かねん

2

1 ア　2 エ　3 イ　4 ア　5 イ
6 エ　7 エ　8 ア　9 ウ　10 ア

P.32

3

1 握っ　2 豊かな　3 再び　4 鋭い　5 汚れる
6 戒める　7 望ましい　8 幸い　9 勧める　10 含ん

4

1 オ　2 ウ　3 エ　4 エ　5 ウ
6 ア　7 ウ　8 エ　9 ア　10 イ

P.33

5

1 位↓威　2 格↓較　3 律↓率　4 縁↓援　5 影↓陰

6

1 歓　2 陰　3 壊　4 為　5 含
6 援　7 導　8 汚　9 憶　10 痛

P.34

7

1 雑　2 興　3 混　4 戒　5 低
6 令　7 威　8 変　9 投　10 両

8

1 依願　2 黒煙　3 運賃　4 地球儀　5 押
6 縮　7 奥底　8 編　9 安否　10 預

ステップ7

P.36

1

1 きょ　2 いきづ　3 きょてん　4 きゃっか
5 あし　6 たいきゃく　7 きゃくちゅう　8 つ
9 だんきゅう　10 きゃっこう　11 しょうこ　12 およ
13 ふきゅう　14 けんきゃく　15 く　16 きょだい
17 おか　18 かどで　19 ついきゅう　20 およ
21 きゅうけつき　22 おに　23 かくせいき　24 うつわ

P.37

2

1 老朽　2 冷却　3 巨費
4 飛脚　5 砂丘　6 準拠
7 姉妹　8 深紅　9 遊戯
10 言及

3

1 暖　2 権　3 難
4 乾　5 共　6 却
7 緯　8 散　9 依
10 及

P.38

4

1 証拠　2 巨額　3 波及　4 朽　5 立脚
6 砂丘　7 詰　8 返却　9 根拠　10 及
11 老朽　12 箱詰　13 距　14 築　15 吸収
16 泉　17 拝　18 志　19 一切　20 傷口
21 帰省　22 奇声　23 要　24 居

ステップ8

P.40

1

1 はんきょう
2 せいぎょ
3 せば
4 ぜっきょう
5 おそ
6 せいきょう
7 ねっきょう
8 せま
9 ごはん
10 きょうしゅく
11 ひび
12 じっきょう
13 きょうさく
14 すえおそ
15 おんちゅう
16 くる
17 ふきょう
18 さけ
19 きょう
20 じびか
21 きょうき
22 くる
23 こうきょう
24 ひび

P.41

2

1 郷
2 強
3 況
4 狂
5 競
6 胸
7 供
8 凶
9 協
10 境
11 恐
12 響
13 共
14 橋
15 興
16 鏡

3

1 エ
2 エ
3 ウ
4 エ
5 ウ
6 エ
7 エ
8 エ
9 ウ
10 ア

P.42

4

1 恐
2 狂言
3 狭
4 近況
5 叫
6 御用
7 響
8 元凶
9 狂
10 手狭
11 防御
12 影響
13 厳
14 逆転
15 痛
16 絹
17 簡便
18 恐
19 果物
20 弁舌
21 鬼気
22 危機
23 型
24 片

ステップ9

P.44

1

1 けいちゅう
2 きょうい
3 ちえ
4 しんこう
5 りくつ
6 か
7 しくつ
8 ぎょうし
9 かたむ
10 てんけい
11 おどろ
12 せんく
13 く
14 くっし
15 めぐ
16 あお
17 ほ
18 どくぜつ
19 くじょ
20 か
21 きょうき
22 おどろ
23 ぶしょう
24 せい

P.45

2

1 労→老
2 監→鑑
3 偉→遺
4 典→点
5 協→響

3

1 巨
2 維
3 傾
4 憶
5 縁
6 仰
7 背
8 戒
9 援
10 雅

P.46

4

1 信仰
2 駆
3 傾
4 採掘
5 仰
6 恩恵
7 驚
8 屈折
9 繰
10 駆使
11 芋掘
12 恵
13 仰天
14 傾向
15 郷里
16 険
17 訳
18 経過
19 困
20 貴重
21 基調
22 本
23 元
24 基

ステップ10

1 P.48

1 たいきけん
2 けいぞく
3 とうけん
4 う
5 のきさき
6 けんむ
7 むか
8 しゅとけん
9 けんぽう
10 かた
11 ごけん
12 もくげき
13 つるぎ
14 かんげい
15 か
16 つ
17 さず
18 けいだい
19 けいそつ
20 そむ
21 げいごう
22 むか
23 えいきょう
24 かげ

2 P.49

1 県
2 剣
3 験
4 険
5 検
6 件
7 憲
8 兼
9 権
10 建
11 健
12 研
13 圏
14 見
15 券
16 軒

3

1 災
2 言
3 及
4 美
5 剣
6 兼
7 温
8 存
9 驚
10 脚

4 P.50

1 圏内
2 継承
3 数軒
4 撃
5 剣道
6 送迎
7 兼
8 肩車
9 軒下
10 継
11 射撃
12 剣
13 兼業
14 迎
15 欲
16 迷路
17 行方
18 盛
19 刷新
20 樹氷
21 終業
22 就業
23 革
24 皮

ステップ11

1 P.52

1 こうそう
2 ほこ
3 ちゅうけん
4 そうご
5 せんけん
6 こが
7 げんまい
8 たいこ
9 てがた
10 たいこう
11 こだい
12 つか
13 ごかく
14 こし
15 たが
16 こちょう
17 きづか
18 か
19 しょうぶん
20 すぐ
21 ぎょうせき
22 しわざ
23 しんく
24 くちべに

2 P.53

1 エ
2 ケ
3 ウ
4 ア
5 キ

3

1 禁
2 撃
3 迎
4 示
5 況
6 季
7 持
8 成
9 業
10 縁

4 P.54

1 誇示
2 小遣
3 枯
4 交互
5 堅苦
6 玄関
7 鼓動
8 誇
9 派遣
10 栄枯
11 互
12 堅実
13 抗議
14 暴
15 好
16 報
17 遺言
18 閉
19 穀類
20 誤認
21 開放
22 解放
23 駆
24 欠

ステップ 12

P.56 **1**

1 けんごう　2 せんこう　3 あら　4 ぶんごう
5 こうせい　6 さら　7 そうこう　8 ようこう
9 かお　10 こうてん　11 こうきゅう　12 せ
13 ごうせい　14 こうい　15 あ　16 とうこう
17 こうりょう　18 そっせん　19 かお　20 こう
21 しゅうしょく　22 つ　23 せいきょう　24 さか

P.57 **2**

1 単　2 攻　3 更
4 兼　5 堅　6 古
7 抗　8 給　9 歴
10 死

3

1 う　2 わす　3 い
4 け　5 まっ　6 め
7 れる　8 らす　9 い
10 かす

P.58 **4**

1 豪語　2 攻略　3 香　4 更新　5 原稿
6 荒立　7 恒例　8 条項　9 香　10 破天荒
11 攻　12 更　13 線香　14 荒　15 効果
16 興奮　17 危　18 初　19 土産　20 有無
21 心構　22 講師　23 以前　24 依然

力だめし 第2回

P.59 **1**

1 こうき　2 さんきゃく　3 たいくつ　4 おか
5 ちゅうけん　6 くどう　7 さけ　8 ぎょしゃ
9 こどう　10 せま

2

1 エ　2 イ　3 ウ　4 エ　5 ウ
6 ア　7 イ　8 エ　9 ウ　10 ア

P.60 **3**

1 詰める　2 狂おしい　3 仰ぐ　4 厚かましい　5 恵み
6 迎える　7 清らかな　8 荒れる　9 冷まし　10 快く

4

1 ア　2 イ　3 オ　4 キ　5 ク

P.61 **5**

1 ウ　2 オ　3 ウ　4 ア　5 ウ
6 エ　7 イ　8 ア　9 エ　10 イ

6

1 凶　2 継　3 却　4 拡　5 豪
6 築　7 処　8 賛　9 互　10 補

P.62 **7**

1 飲　2 兼　3 鬼　4 災　5 段
6 用　7 鏡　8 異　9 耕　10 足

8

1 穀物　2 演劇　3 距　4 玄米　5 芸能
6 片側　7 繰　8 軒並　9 危害　10 文化圏

ステップ13

1 P.64

1 こ　2 はやざ　3 いさい　4 こ　5 の　6 ぎんこん　7 さいまつ　8 くさり　9 れんさい　10 さ　11 みこん　12 やくざいし　13 さいにゅう　14 へいさ　15 にゅうか　16 ごくじょう　17 れんさ　18 くさり　19 せきさい　20 の　21 ぎゅうにゅう　22 ち　23 たんさ　24 さぐ

2 P.65

1 エ　2 イ　3 ウ　4 エ　5 ア　6 ウ　7 エ　8 イ　9 エ　10 エ

3

1 イ　2 ウ　3 オ　4 エ　5 イ　6 オ　7 ウ　8 ア　9 エ

4 P.66

1 載　2 咲　3 鎖骨　4 色彩　5 洗剤　6 込　7 歳月　8 新婚　9 記載　10 鎖　11 見込　12 災害　13 散　14 試　15 認識　16 幼友達　17 奏　18 考察　19 対策　20 句読　21 対抗　22 対向　23 影　24 陰

ステップ14

1 P.68

1 ひさん　2 しっとう　3 めいし　4 めかぶ　5 ようし　6 あぶら　7 しえん　8 さんじ　9 うかが　10 しゅうねん　11 じゅし　12 さ　13 めす　14 あかむらさき　15 しっぴつ　16 し　17 と　18 みじたく　19 ふうし　20 さ　21 せいざ　22 すわ　23 ぼうえき　24 やさ

2 P.69

1 迷　2 鎖　3 旨　4 威　5 堅　6 終　7 恒　8 満　9 転　10 乱

3

1 複　2 捨　3 散　4 有　5 迎　6 易　7 支　8 枯　9 満　10 攻

4 P.70

1 紫色　2 執　3 油脂　4 刺激的　5 論旨　6 雌　7 伺　8 紫外線　9 執着　10 脂汗　11 刺　12 雌花　13 惨状　14 執行　15 潮　16 示　17 戦　18 根性　19 深呼吸　20 持久走　21 不足　22 不測　23 推　24 押

ステップ15

1 P.72

1 しばふ
2 せいじゃく
3 けいしゃ
4 おもむき
5 しゅ
6 にまめ
7 さび
8 しゃくほう
9 しばか
10 しゅ
11 しゅにく
12 なな
13 しゅこう
14 さび
15 しゃくめい
16 に
17 か
18 はへん
19 しゃ
20 なな
21 しゅし
22 おもむき
23 かく
24 たし

2 P.73

1 エ
2 ク
3 キ
4 カ
5 ウ

3

1 ア
2 ウ
3 エ
4 ウ
5 イ
6 ア
7 エ
8 オ
9 イ

4 P.74

1 斜
2 雑煮
3 趣
4 寂
5 狩
6 朱色
7 斜面
8 煮
9 趣味
10 寂寂（寂々）
11 芝居
12 注釈
13 従
14 砂糖
15 舌
16 習慣
17 祝福
18 目頭
19 混迷
20 田舎
21 専攻
22 選考
23 油
24 脂

ステップ16

1 P.76

1 じゅよう
2 しゅん
3 ふなうた
4 しゅうらい
5 やわ
6 しゅうか
7 しゅんかん
8 ないじゅ
9 けものみち
10 ちゅうじゅん
11 ふね
12 しゅうげき
13 にゅうわ
14 しゅうさい
15 じゅうい
16 しゅううん
17 おそ
18 すあし
19 ゆうじゅう
20 やわ
21 ごけい
22 めぐ
23 しゅげい
24 へた

2 P.77

1 稿
2 御
3 堅
4 更
5 拠
6 襲
7 屈
8 恒
9 剣
10 豪

3

1 載
2 撃
3 秀
4 堅
5 歓
6 豪
7 互
8 継
9 恵
10 輝

4 P.78

1 柔
2 鳥獣
3 襲
4 柔道
5 一瞬
6 必需品
7 下旬
8 獣
9 優秀
10 同舟
11 空襲
12 柔弱
13 就任
14 裏切
15 視野
16 誠
17 素顔
18 仮設
19 構内
20 冊子
21 創造
22 想像
23 覚
24 冷

ステップ 17

P.80

1

1 とこ
2 しょう
3 ぬま
4 ゆか
5 じゅん
6 あいしょう
7 くわ
8 びょうしょう
9 しょうしゅう
10 めぐ
11 しょうかい
12 たて
13 きしょう
14 しょうさん
15 め
16 しょうほう
17 じゅんかい
18 ほんもう
19 いんそつ
20 しんぱいしょう
21 じゅんぎょう
22 めぐ
23 ふしょう
24 くわ

P.81

2

1 香
2 功
3 抗
4 皇
5 光
6 降
7 恒
8 稿
9 向
10 交
11 更
12 項
13 孝
14 仰
15 攻(好)
16 康

3

1 助
2 状
3 力
4 称
5 面
6 間
7 味
8 喜
9 無
10 述

P.82

4

1 床
2 巡
3 詳細
4 沼地
5 召
6 温床
7 紹介
8 盾
9 通称
10 詳
11 床板
12 巡視
13 順延
14 招待
15 度重
16 博士
17 枚挙
18 痛快
19 宇宙
20 精算
21 清算
22 刺
23 指
24 差

ステップ 18

P.84

1

1 ふくしょく
2 じょうご
3 ひた
4 みたけ
5 しんこう
6 さわ
7 ふ
8 おか
9 たたみ
10 きじょう
11 かざ
12 しょくしゅ
13 ふ
14 ようしょく
15 しんぱん
16 しんしょく
17 たた
18 ふ
19 せいしょく
20 ふ
21 しょくはつ
22 ふ
23 しんどう
24 ふ

P.85

2

1 鎖
2 複
3 却
4 兼
5 乱
6 及
7 在
8 準
9 刺
10 釈

3

1 険→剣
2 則→測
3 源→現
4 歓→感
5 経→継

P.86

4

1 触
2 飾
3 振
4 浸水
5 畳
6 増殖
7 手触
8 侵害
9 丈
10 装飾
11 水浸
12 六畳
13 不振
14 殖(増)
15 接触
16 丈夫
17 除
18 最適
19 日和
20 散乱
21 窓
22 手探
23 作
24 造

力だめし 第3回

1 P.87
1 こんれい　2 しょくさん　3 さんげき　4 すいさいが
5 ぬま　6 ちょうざい　7 たて　8 め
9 じゅきゅう　10 と

2
1 イ　2 ウ　3 エ　4 オ　5 イ

3 P.88
1 備わっ　2 勢い　3 伺い　4 煮えれ　5 寂れる
6 補う　7 久しく　8 畳ん　9 触れる　10 確かめる

4
1 オ　2 イ　3 ウ　4 イ　5 ア
6 エ　7 エ　8 イ　9 オ　10 ウ

5 P.89
1 響→驚　2 観→歓　3 積→詰　4 写→映　5 間→関

6
1 刺　2 柔　3 痛　4 詳　5 歳
6 丈　7 趣　8 存　9 復　10 素

7 P.90
1 博　2 為　3 床　4 柔　5 寸
6 絶　7 豊　8 紫　9 実　10 棒

8
1 修飾　2 雑誌　3 脂質　4 耕　5 斜陽
6 収納　7 芝生　8 瞬時　9 吸　10 刷

ステップ 19

1 P.92
1 しゅうしん　2 こすい　3 よしん　4 ねみみ
5 たず　6 しんちょう　7 たきぎ　8 ふぶき
9 じんりょく　10 じんじょう　11 ね　12 ふる
13 じんつう　14 ふ　15 しんたん　16 つつし
17 つ　18 じん　19 まさ　20 もめん
21 したく　22 たびかさ　23 いるい　24 ころも

2 P.93
1 寂　2 件　3 専
4 創　5 根　6 侵
7 尽　8 獣　9 義
10 飾

3
1 危ない　2 刺さる　3 詳しい
4 震える　5 載せる　6 厳しく
7 尽かし　8 斜め　9 触ら
10 細かく

4 P.94
1 尽　2 震度　3 円陣　4 寝　5 吹奏
6 無尽蔵　7 慎　8 尋問　9 寝食　10 薪
11 震　12 尋　13 吹　14 姿　15 神秘
16 照　17 筋書　18 救　19 賛否　20 独奏
21 独走　22 独創　23 射　24 入

ステップ20

1 P.96

1 しんせん
2 ぜにん
3 せんじょうち
4 い
5 せんきょ
6 べっせい
7 あざ
8 あとつ
9 ぜせい
10 おうぎ
11 せいふく
12 てんじょう
13 じ
14 せいせん
15 すじょう
16 せんどう
17 けいせき
18 うらな
19 しゅっか
20 ごくひ
21 しせき
22 きずあと
23 ゆうが
24 やさ

2 P.97

1 指
2 陣
3 任
4 跡
5 職
6 汗
7 境
8 天
9 手
10 床

3

1 終
2 就
3 周
4 修
5 秀
6 収
7 執
8 習
9 週
10 襲

4 P.98

1 独占
2 扇子
3 鮮明
4 同姓
5 跡形
6 遠征
7 占
8 扇形
9 井戸
10 鮮
11 百姓
12 筆跡
13 占
14 是非
15 頭痛
16 極
17 墓穴
18 背負
19 処置
20 倍率
21 断交
22 断行
23 角
24 門

ステップ21

1 P.100

1 そうぜん
2 た
3 ぞくじ
4 ぞうしょう
5 うった
6 そくおう
7 こうそう
8 むなさわ
9 みんぞく
10 たいよう
11 こうそう
12 おく
13 ていそ
14 そっきょう
15 きじょう
16 しんよう
17 そうどう
18 さわ
19 たいきゅう
20 た
21 しょうそ
22 うった
23 ひつぜつ
24 した

2 P.101

1 慎
2 済
3 弁
4 丈
5 詳
6 即
7 占
8 素
9 是
10 損

3

1 俗→族
2 材→剤
3 蔵→贈
4 速→即
5 洗→鮮

4 P.102

1 騒
2 贈答
3 耐
4 小僧
5 訴
6 即席
7 乾燥
8 贈
9 俗説
10 物騒
11 耐寒
12 起訴
13 迷宮
14 胸元
15 危
16 断片
17 羽振
18 任
19 縦隊
20 述
21 紹介
22 照会
23 跡
24 後

ステップ22

1 (P.104)

1 だっぴ
2 か
3 かんたん
4 さわ
5 こたん
6 にご
7 かんたく
8 たんせい
9 ひが
10 ぬ
11 こうたく
12 なげ
13 おだく
14 あわゆき
15 こうたい
16 むすこ
17 だっしゅつ
18 ぬ
19 たんそく
20 なげ
21 かいもく
22 みな
23 げんきゅう
24 およ

2 (P.105)

1 侵
2 心
3 信
4 神
5 寝
6 針
7 薪
8 進
9 身
10 新
11 親
12 浸
13 震
14 森
15 真
16 深

3

1 ウ
2 エ
3 イ
4 ウ
5 ウ
6 イ
7 ア
8 エ
9 オ
10 ア

4 (P.106)

1 驚嘆
2 濁
3 淡
4 沢山
5 代替
6 脱
7 丹念
8 嘆
9 濁流
10 冷淡
11 沢
12 開拓
13 脱落
14 振替
15 絶
16 保
17 注
18 縦
19 頭
20 声色
21 節約
22 吹
23 触
24 振

ステップ23

1 (P.108)

1 はず
2 おく
3 だんりょく
4 は
5 と
6 たくわ
7 みちばた
8 いた
9 おそ
10 だま
11 ちぶ
12 ちえん
13 おき
14 は
15 しょうち
16 ひ
17 かたはし
18 ちくでんち
19 はじ
20 ふうち
21 ちょうば
22 たんまつ
23 ちくせき
24 たくわ

2 (P.109)

1 イ
2 コ
3 ウ
4 オ
5 カ

3

1 俗
2 濁
3 寝
4 脱
5 嘆
6 団
7 釈
8 誠
9 朗
10 蓄

4 (P.110)

1 弾
2 赤恥
3 端
4 弾
5 遅咲
6 蓄
7 致
8 無恥
9 弾
10 端
11 遅
12 沖
13 跳
14 合致
15 恥
16 含蓄
17 弾圧
18 遅刻
19 極端
20 跳
21 寸断
22 短縮
23 攻
24 責

ステップ 24

1 P.112

1 つ
2 ちんか
3 ていこう
4 しずく
5 す
6 ちんみ
7 つつみ
8 ちょうしゅう
9 しず
10 ていしょく
11 てきしゅつ
12 す
13 すいてき
14 めずら
15 ぼうはてい
16 とくちょう
17 そむ
18 にんてい
19 ちんせい
20 しず
21 ちんじゅう
22 めずら
23 りふじん
24 つ

2 P.113

1 是
2 跡
3 熟
4 即
5 嘆
6 俗
7 尋
8 致
9 後
10 沈

3

1 ウ
2 オ
3 ア
4 オ
5 エ
6 イ
7 ア
8 ウ
9 エ

4 P.114

1 滴
2 沈
3 珍重
4 摘
5 堤
6 抵当
7 沈着
8 点滴
9 珍
10 堤防
11 澄
12 指摘
13 象徴
14 罪
15 段階
16 迷子
17 早速
18 地蔵
19 俵
20 侵入
21 進入
22 努
23 勤
24 務

力だめし 第4回

1 P.115

1 かわせ
2 うてき
3 ぎょたく
4 おき
5 こくそ
6 たんせい
7 ちち
8 ふぶき
9 じつだん
10 どうせい

2

1 ⻗ あめかんむり
2 尸 かばね・しかばね
3 寸 すん
4 二 に
5 ト と・うらない
6 而 しかして・しこうして
7 曰 ひらび・いわく
8 卩 わりふ・ふしづくり
9 艹 くさかんむり
10 王 おうへん・たまへん

3 P.116

1 オ
2 ケ
3 ク
4 イ
5 ア

4

1 ウ
2 ア
3 エ
4 オ
5 ア
6 ウ
7 イ
8 イ
9 エ
10 オ

5 P.117

1 拝→配
2 宅→沢
3 行→航
4 調→徴
5 就→襲

6

1 振
2 益
3 抗
4 致
5 蓄
6 丹
7 丈
8 儀
9 性
10 堤

7 P.118

1 径
2 是
3 己
4 端
5 以
6 専
7 決
8 路
9 味
10 方

8

1 枯淡
2 澄
3 摘発
4 跳
5 風俗
6 慎
7 蒸気
8 尊厳
9 創立
10 出任

ステップ25

1 P.120

1 ごてん
2 しと
3 いか
4 かとき
5 さっとう
6 みわた
7 は
8 とぎ
9 どの
10 てんじょう
11 しゅせんど
12 そ
13 といき
14 どごう
15 とちゅう
16 わた
17 とうたつ
18 わざ
19 てんぷ
20 そ
21 でんどう
22 とのがた
23 さんぷ
24 ぬのき

2 P.121

1 到
2 抗
3 撃
4 継
5 延
6 朽
7 値
8 狂
9 至
10 途

3

1 オ
2 イ
3 カ
4 コ
5 ク

4 P.122

1 怒
2 渡航
3 吐血
4 宮殿
5 添
6 別途
7 怒
8 農奴
9 渡
10 激怒
11 殿様
12 吐
13 到着
14 添加
15 適度
16 拾
17 干
18 似
19 探
20 眼鏡
21 拡張
22 格調
23 現
24 表

ステップ26

1 P.124

1 けんとうし
2 す
3 いねか
4 とう
5 とうそう
6 からかみ
7 だとう
8 もも
9 とうなん
10 すいとう
11 に
12 とうし
13 きんじとう
14 たお
15 とうげんきょう
16 みのが
17 ぬす
18 いなさく
19 とうさん
20 たお
21 しんとう
22 みす
23 とうよう
24 ぬす

2 P.125

1 謝っ
2 鮮やかな
3 照らし
4 志す
5 恥じらう
6 直ちに
7 占う
8 致し
9 脱げる
10 尋ねる

3

1 エ
2 オ
3 ア
4 イ
5 ア
6 ウ
7 イ
8 ウ
9 エ
10 ウ

4 P.126

1 逃
2 透明
3 盗
4 稲妻
5 桃
6 倒壊
7 逃
8 鉄塔
9 唐草
10 透
11 陸稲
12 盗掘
13 逃亡
14 倒
15 白桃
16 張
17 的
18 統計
19 率
20 激
21 奮
22 届
23 威儀
24 意義

ステップ27

1 P.128

1 ふ
2 つ
3 たたか
4 みとう
5 くも
6 とうげ
7 どんじゅう
8 どうあ
9 ふ
10 とってい
11 にまん
12 にぶ
13 けんとう
14 どんてん
15 ざっとう
16 くふう
17 かくとうぎ
18 たたか
19 とうとつ
20 つ
21 どんつう
22 にぶ
23 せんたん
24 かわばた

2 P.129

1 徴
2 是
3 濁
4 跡
5 淡
6 突
7 到
8 戒
9 獲
10 善

3

1 イ
2 オ
3 ア
4 ア
5 ウ
6 エ
7 オ
8 ウ
9 イ

4 P.130

1 突
2 鈍
3 闘志
4 峠
5 踏
6 曇
7 胴体
8 闘（戦）
9 煙突
10 弐
11 踏襲
12 鈍感
13 額
14 貧
15 土俵
16 訪
17 化身
18 報
19 展示
20 厳
21 交付
22 公布
23 贈
24 送

ステップ28

1 P.132

1 うす
2 せんぱい
3 しゅくはい
4 ていはく
5 せま
6 のうど
7 けいはく
8 はくしゃ
9 はくりょく
10 さかずき
11 のうみつ
12 なや
13 はいしゅつ
14 うすぎ
15 せいいっぱい
16 と
17 ひょうし
18 こ
19 せっぱく
20 くのう
21 はくじょう
22 うす
23 たんぱく
24 と

2 P.133

1 ア
2 オ
3 ウ
4 ア
5 イ
6 ウ
7 イ
8 エ
9 ウ
10 エ

3

1 単→端
2 胴→道
3 向→抗
4 送→遅
5 義→儀

4 P.134

1 薄味
2 杯
3 外泊
4 迫
5 濃淡
6 脈拍
7 薄
8 後輩
9 迫害
10 濃
11 素泊
12 満杯
13 悩
14 薄氷
15 突拍子
16 納税
17 費用
18 練
19 果
20 承認
21 望
22 唱
23 気迫
24 希薄

ステップ29

1 P.136

1 しょばつ　2 ばつぐん　3 かみかざ　4 うんぱん
5 げんばく　6 しはん　7 はんい　8 ばっきん
9 ぜんぱん　10 てぬ　11 とうはつ　12 はんそう
13 ばち　14 ばくだん　15 きはん　16 ぬ
17 しょはん　18 はんろ　19 ていめい　20 ほ
21 せんばつ　22 ぬ　23 さんぱつ　24 かみ

2 P.137

1 到　2 髪　3 倒
4 流　5 闘　6 罰
7 致　8 踏　9 臨
10 文

3

1 オ　2 ウ　3 ア
4 オ　5 イ　6 ア
7 エ　8 イ　9 ウ

4 P.138

1 一般　2 罰　3 奇抜　4 販売
5 模範　6 日本髪　7 搬入　8 爆発
9 罰則　10 毛髪　11 抜　12 灰色
13 初孫　14 経　15 衣　16 河川
17 耳鼻科　18 財政　19 視界　20 点呼
21 考査　22 交差　23 添　24 沿

力だめし 第5回

1 P.139

1 ばくおん　2 きと　3 とうてい　4 いっぺんとう
5 とうげ　6 つ　7 どんかく　8 うすぐも
9 ど　10 どうはい

2

1 イ　2 ア　3 エ　4 ア　5 ウ

3 P.140

1 オ　2 ア　3 エ　4 ア　5 エ
6 ウ　7 イ　8 エ　9 オ　10 ウ

4

1 カ　2 エ　3 コ　4 キ　5 ウ

5 P.141

1 ア　2 エ　3 ウ　4 ウ　5 ア
6 オ　7 イ　8 エ　9 ア　10 イ

6

1 許　2 逃　3 端　4 難　5 悩
6 搬　7 抜　8 沈　9 即　10 襲

7 P.142

1 闘　2 挙　3 温　4 肉　5 有
6 覚　7 範　8 転　9 論　10 吐

8

1 世渡　2 乳製品　3 桃色　4 放　5 写経
6 発揮　7 透過　8 展覧　9 包　10 夫婦

ステップ 30

1 P.144

1 らくばん
2 びりょく
3 しゅび
4 さ
5 ひろう
6 じょばん
7 びび
8 ひがん
9 はんざつ
10 こうむ
11 ひしょ
12 えんばん
13 つか
14 おね
15 びせいぶつ
16 かれ
17 ひがい
18 はんしょく
19 ひしゃたい
20 こうむ
21 とうひ
22 さ
23 ちんぴん
24 めずら

2 P.145

1 エ
2 ア
3 イ
4 エ
5 ウ
6 ウ
7 ウ
8 ア
9 エ
10 ア

3

1 避
2 尾
3 泊
4 濃
5 却
6 盤
7 突
8 闘
9 途
10 範

4 P.146

1 被
2 尾
3 彼女
4 避
5 被災
6 微風
7 疲
8 基盤
9 尾行
10 彼
11 回避
12 繁栄
13 情
14 値札
15 批判
16 度
17 迷信
18 博識
19 特派員
20 門松
21 徳
22 得
23 分
24 別

ステップ 31

1 P.148

1 えいびん
2 きょうふ
3 ふちん
4 えが(か)
5 はまべ
6 ひっぷ
7 くさ
8 ふきゅう
9 びんかん
10 こわ
11 そびょう
12 ふはい
13 う
14 かいひん
15 すうひき
16 えか
17 ふどうひょう
18 う
19 ふしょく
20 くさ
21 れんだん
22 はず
23 しごく
24 いた

2 P.149

1 用途
2 豆腐
3 終盤
4 機敏
5 喜怒
6 避寒
7 闘争(争闘)
8 鈍角
9 微量
10 突然

3

1 倒
2 透
3 桃
4 盗
5 唐
6 塔
7 逃
8 踏
9 到
10 闘

4 P.150

1 描
2 浮上
3 匹敵
4 腐
5 砂浜
6 普通
7 怖
8 描写
9 過敏
10 浮
11 豆腐
12 一匹
13 秘密
14 負担
15 冷
16 花束
17 複雑
18 服装
19 針
20 謝
21 一泊
22 一拍
23 占
24 閉

ステップ32

1 P.152

1 まいおうぎ
2 ふ
3 ではら
4 ふか
5 え
6 ぞうふく
7 こぶ
8 し
9 かんぷ
10 ふんしゅつ
11 はら
12 てんぷ
13 てがら
14 はば
15 ひとがら
16 しきふ
17 かんか
18 びんじょう
19 らんぶ
20 ま
21 ふんえん
22 ふ
23 ぜんぷく
24 はばひろ

2 P.153

1 訪れる
2 悩ましい
3 薄める
4 養う
5 迫る
6 描い
7 泊める
8 退け
9 抜かし
10 欠ける

3

1 陰
2 敏
3 微
4 浮
5 序
6 途
7 到
8 快
9 抜
10 務

4 P.154

1 舞
2 噴
3 大幅
4 小柄
5 払
6 舞台
7 月賦
8 敷
9 振幅
10 皮膚
11 柄
12 噴水
13 見舞
14 有頂天
15 器
16 巣立
17 気配
18 巻
19 別格
20 言及
21 減給
22 弾
23 玉
24 球

ステップ33

1 P.156

1 ごうほう
2 みね
3 ぜっぺき
4 てっぽう
5 ぼっ
6 たぼう
7 こうほう
8 つか
9 かいほう
10 しゅくぼう
11 かべ
12 ほそう
13 ほうげき
14 いそが
15 れんぽう
16 ほかく
17 かか
18 そうぼう
19 がんぺき
20 におう
21 ほしゅ
22 と
23 ほうふ
24 だ

2 P.157

1 開
2 砲
3 避
4 到
5 薄
6 罰
7 論
8 輩
9 途
10 壁

3

1 普
2 不
3 腐
4 付
5 富
6 怖
7 布
8 膚
9 浮
10 婦

4 P.158

1 抱
2 捕
3 壁画
4 忙
5 主峰
6 抱
7 店舗
8 捕
9 祝砲
10 忙殺
11 峰
12 寝坊
13 白壁
14 抱
15 老舗
16 批評
17 訪問
18 保留
19 節目
20 値引
21 窓辺
22 音色
23 交
24 混

ステップ34

P.160

1

1 まんしん　2 ぼんけい　3 ろぼう　4 さんまん
5 とざんぼう　6 こうまん　7 へいぼん　8 まんぜん
9 ぼん　10 おか　11 ぼうしょう　12 しぼう
13 まんせい　14 ぼんち　15 まんざい　16 ひぼん
17 ぼうせん　18 ぼうとう　19 へ　20 きた
21 かんぼう　22 おか　23 しんさい　24 ふる

P.161

2

1 アとエ　2 アとイ　3 イとウ
4 ウとエ　5 イとエ　6 アとウ

3

1 ア　2 ウ　3 エ
4 エ　5 イ　6 エ
7 ウ　8 イ　9 ア
10 オ

P.162

4

1 冒険　2 帽子　3 自慢　4 盆　5 傍観
6 凡人　7 冒　8 漫画　9 脂肪　10 羽毛
11 推　12 公　13 授　14 百聞　15 棒立
16 逆　17 復職　18 服飾　19 店頭　20 点灯
21 転倒　22 取　23 採　24 執

力だめし 第6回

P.163

1

1 はんぼう　2 しきもの　3 へきめん　4 ぼんさい
5 ふんしゃ　6 ぼん　7 おかしら　8 さくがら
9 しぼう　10 きびん

2

1 ウ　2 ク　3 ケ　4 ア　5 オ

P.164

3

1 被っ　2 避ける　3 供える　4 改める　5 腐っ
6 従い　7 払い　8 捕まっ　9 勇ましく　10 授かっ

4

1 ア　2 イ　3 オ　4 ア　5 エ
6 ウ　7 オ　8 エ　9 イ　10 ウ

P.165

5

1 複→復　2 倒→到　3 刻→穀　4 占→宣　5 念→縁

6

1 敗　2 直　3 普　4 微　5 介
6 冒　7 闘　8 況　9 舗　10 参

P.166

7

1 舞　2 絶　3 漫　4 材　5 望
6 為　7 器　8 透　9 騒　10 薄

8

1 怖　2 難関　3 姉妹　4 保証　5 防犯
6 来　7 浮　8 夢中　9 弟子　10 聖火

ステップ 35

1 P.168

1 みょうあん
2 あみど
3 むじゅん
4 しげ
5 もうい
6 ねむけ
7 のうむ
8 しんみょう
9 じょうほうもう
10 むすめ
11 ほこさき
12 はんも
13 きゅうみん
14 きり
15 もうこう
16 ぜつみょう
17 まこと
18 かせん
19 あんみん
20 ねむ
21 むひょう
22 よぎり
23 こうつうもう
24 かなあみ

2 P.169

1 漫
2 妙
3 欠
4 薄
5 秋
6 耳
7 画
8 霧
9 異
10 門

3

1 稿
2 球
3 約
4 寝
5 歯
6 罰
7 幅
8 震
9 難
10 春

4 P.170

1 眠
2 網
3 霧雨
4 娘
5 茂
6 矛
7 猛暑
8 冬眠
9 網
10 妙
11 噴霧器
12 導
13 模様
14 民衆
15 門出
16 座
17 破片
18 性分
19 拝見
20 対称
21 対象
22 対照
23 上
24 登

ステップ 36

1 P.172

1 きよ
2 おど
3 だま
4 かもん
5 やくしん
6 あた
7 よわごし
8 ほま
9 ゆうだい
10 もくもく
11 かつやく
12 おお
13 はもん
14 ふよ
15 と
16 えいよ
17 あんもく
18 ほんごし
19 ぜっせん
20 したさき
21 ようえき
22 と
23 ゆうと
24 おす

2 P.173

1 エ
2 オ
3 ウ
4 エ
5 ウ

3

1 冒
2 貿
3 傍
4 坊
5 防
6 忙
7 肪
8 棒
9 帽
10 亡

4 P.174

1 与
2 雄花
3 名誉
4 飛躍
5 溶
6 指紋
7 授与
8 黙
9 英雄
10 腰
11 誉
12 躍
13 溶接
14 雄
15 沈黙
16 乱
17 優
18 毒舌
19 紅
20 輸送
21 高層
22 構想
23 解
24 説

ステップ37

1 P.176

1 しゅよく
2 しゅんらい
3 おど
4 かようきょく
5 ぎんよく
6 はな
7 れんらくもう
8 らんかん
9 かみなり
10 ぼんおど
11 りだつ
12 たの
13 くうらん
14 らくらい
15 つばさ
16 みゃくらく
17 ぶよう
18 しょうじん
19 しんらい
20 たよ
21 きょり
22 はな
23 しきんせき
24 ため

2 P.177

1 欲
2 道
3 霧
4 退
5 雷
6 尽
7 口
8 翼
9 黙
10 石

3

1 イ
2 ウ
3 エ
4 ウ
5 ウ
6 ア
7 オ
8 ア
9 エ
10 ア

4 P.178

1 頼
2 一翼
3 雷
4 短絡
5 乳離
6 頼
7 欄外
8 雷雨
9 踊
10 民謡
11 依頼
12 翼
13 別離
14 予測
15 燃
16 極秘
17 太刀
18 典型
19 易
20 盟約
21 変体
22 変態
23 長
24 永

ステップ38

1 P.180

1 いりょう
2 かんるい
3 たんりょ
4 たんれい
5 りんせつ
6 れいぞく
7 あらりょうじ
8 じゅれい
9 しりょ
10 つぶ
11 らくるい
12 れいしょ
13 となり
14 しゅうれい
15 りょうよう
16 なみだ
17 えんりょ
18 ねんれい
19 びりゅうし
20 こめつぶ
21 りんか
22 とな
23 ろうせい
24 お

2 P.181

1 アとウ
2 イとウ
3 イとエ
4 イとエ
5 アとエ
6 ウとエ

3

1 養
2 容
3 様
4 要
5 踊
6 溶
7 洋
8 用
9 謡
10 陽

4 P.182

1 隣人
2 涙声
3 粒子
4 奴隷
5 治療
6 美麗
7 配慮
8 高齢化
9 隣
10 血涙
11 大粒
12 優
13 低迷
14 背
15 乳飲
16 標識
17 呼
18 郵便
19 紅梅
20 通訳
21 補習
22 補修
23 替
24 代

ステップ 39

1 P.184

1 とろ　2 まど　3 れっせい　4 こいごころ
5 うで　6 ねつれつ　7 めいわく　8 ろう
9 ゆうれつ　10 ろうとう(ろうどう)　11 こ
12 びんわん　13 ろけん　14 こよみ　15 きょうれつ
16 ぎわく　17 おと　18 せんれつ　19 わんぱく
20 つゆ　21 きゅうれき　22 たび　23 れんあい
24 こい

2 P.185

1 災　2 慮　3 清
4 隣　5 麗　6 翼
7 即　8 到　9 眠
10 諸

3

1 路→露　2 踊→躍　3 範→繁
4 料→療　5 恒→公

4 P.186

1 悲恋　2 困惑　3 朝露　4 暦　5 初恋
6 腕前　7 劣　8 新郎　9 烈火　10 惑
11 露出　12 西暦　13 恋　14 手腕　15 劣等感
16 割　17 出荷　18 引率　19 幹　20 領土
21 辞典　22 自転　23 収　24 納

力だめし 第7回

1 P.187

1 びみょう　2 ようきょく　3 もんよう　4 こい　5 むすめ
6 ようとう　7 たいようれき　8 やっき　9 ものごし　10 ゆうべん

2

1 エ　2 ア　3 ウ　4 イ　5 ウ
6 ア　7 エ　8 オ　9 イ　10 ウ

3 P.188

1 任せる　2 茂っ　3 黙っ　4 語らい　5 味わう
6 頼もしい　7 奮っ　8 届ける　9 放っ　10 軽やかな

4

1 オ　2 ウ　3 エ　4 イ　5 ア
6 エ　7 オ　8 ウ　9 ア　10 イ

5 P.189

1 添→沿　2 滴→摘　3 称→障　4 際→載　5 興→況

6

1 敏　2 離　3 被　4 隷　5 烈
6 腕　7 絡　8 惑　9 誉　10 淡

7 P.190

1 難　2 吐　3 離　4 処　5 致
6 刻　7 慮　8 端　9 即　10 転

8

1 領域　2 投書欄　3 録音　4 涙　5 近隣
6 預金　7 染　8 臨時　9 療法　10 豆粒

4級

標準解答

総まとめ

4級 総まとめ 標準解答

(一) 読み (30)

1	2	3	4	5	6	7	8	9	10	11	12	13	14
けいとう	せいあつ	ごうかい	びんそく	きせき	がしゅ	せんせいじゅつ	だつじ	はっぽう	のうしゅく	ばいきゃく	はんしゅつ	せんじん	ほきゅう

1×30

(二) 同音・同訓異字 (30)

1	2	3	4	5	6	7	8	9	10
ア 介	エ 戒	オ 界	エ 勧	ア 監	ウ 汗	オ 巨	エ 拠	ア 挙	イ 尾

2×15

(四) 熟語の構成 (20)

1	2	3	4	5	6	7	8	9	10
ア	ウ	イ	エ	イ	ウ	ア	エ	オ	ア

2×10

(六) 対義語・類義語 (20)

1	2	3	4	5	6	7	8	9	10
留	過	薄	眠	需	隣	傍	齢	領	鳴

2×10

(八) 四字熟語 (20)

1	2	3	4	5	6	7	8	9	10
里	覧	従	陣	闘	科	俗	忙	鳥	兼

2×10

(十) 書き取り (40)

1	2	3	4	5	6	7	8	9	10
貯蔵	舞踏	慎重	乾杯	綿密	童謡	度胸	遣唐使	耐震	跳躍

2×20

15	16	17	18	19	20	21	22	23	24	25	26	27	28	29	30
きょうあく	ほどう	きょうたん	こうけいしゃ	きこう	かいたく	はな	こ	こ	にもの	かざ	まるが	こしぬ	せば	さわ	ちゃつ

11	12	13	14	15
ウ	オ	オ	ア	エ
微	備	咲	避	刺

(三) 漢字識別 (10)

1	2	3	4	5
エ	コ	ア	カ	ケ
巡	縁	御	腐	霧

2×5

(五) 部首 (10)

1	2	3	4	5	6	7	8	9	10
ウ	エ	ウ	ア	イ	イ	ア	ウ	エ	エ
白	皿	穴	力	頁	釆	車	黒	言	心

1×10

(七) 漢字と送りがな (10)

1	2	3	4	5
扱う	被る	惑わさ	柔らかな	浮かべる

2×5

(九) 誤字訂正 (10)

	1	2	3	4	5
誤	祈	拍	提	照	恐
正	規	迫	堤	象	響

2×5

11	12	13	14	15	16	17	18	19	20
途中	露天	本殿	恵	垂	畳替	吐	誇	暇	頂

都道府県名

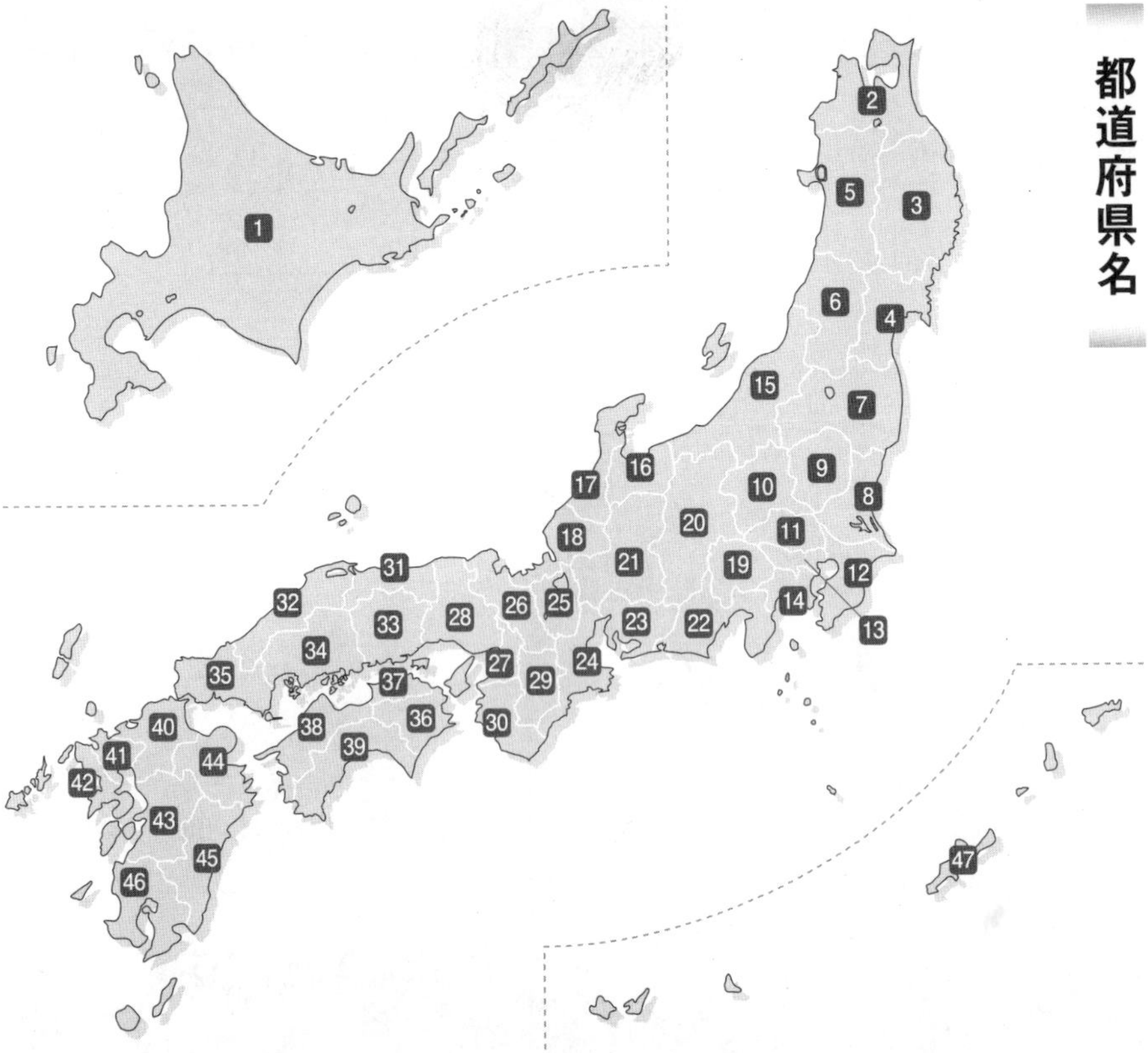

16	15	14	13	12	11	10	9	8	7	6	5	4	3	2	1
富山《とやま》県	新潟《にいがた》県	神奈川《かながわ》県	東京都《とうきょうと》	千葉《ちば》県	埼玉《さいたま》県	群馬《ぐんま》県	栃木《とちぎ》県	茨城《いばらき》県	福島《ふくしま》県	山形《やまがた》県	秋田《あきた》県	宮城《みやぎ》県	岩手《いわて》県	青森県《あおもりけん》	北海道《ほっかいどう》

32	31	30	29	28	27	26	25	24	23	22	21	20	19	18	17
島根《しまね》県	鳥取《とっとり》県	和歌山《わかやま》県	奈良《なら》県	兵庫《ひょうご》県	大阪《おおさか》府	京都府《きょうとふ》	滋賀《しが》県	三重《みえ》県	愛知《あいち》県	静岡《しずおか》県	岐阜《ぎふ》県	長野《ながの》県	山梨《やまなし》県	福井《ふくい》県	石川《いしかわ》県

47	46	45	44	43	42	41	40	39	38	37	36	35	34	33
沖縄《おきなわ》県	鹿児島《かごしま》県	宮崎《みやざき》県	大分《おおいた》県	熊本《くまもと》県	長崎《ながさき》県	佐賀《さが》県	福岡《ふくおか》県	高知《こうち》県	愛媛《えひめ》県	香川《かがわ》県	徳島《とくしま》県	山口《やまぐち》県	広島《ひろしま》県	岡山《おかやま》県